The Catholic
Theological Union
LIBRARY
Chicago, Ill.

CONCORDANCE OF UGARITIC

G. DOUGLAS YOUNG

1956

PONTIFICIUM INSTITUTUM BIBLICUM

ROMA 204 PIAZZA PILOTTA 35

Imprimatur. † Aloysius Traglia, Archiep. Caesarien. in Palaestina, *Vicesger.*

Tipografia Pio X — Via degli Etruschi N. 7-9 — Roma — 11. VI. 1956

DEDICATED

TO MY WIFE

WHOSE PERSONAL EFFORTS CONTRIBUTED

TO TIME AND RESEARCH

FOREWORD

The writer wishes to express his very deep gratitude to Professor Cyrus H. Gordon for the academic leadership which he has given not only to the undersigned but also to the many other young scholars who derived their inspiration and training from him. It is a very special personal gratification that this Concordance appears as ANALECTA ORIENTALIA 36 when UM is numer 35.

Northwestern College
Minneapolis, Minn.

G. DOUGLAS YOUNG

CONCORDANCE OF UGARITIC

GENERAL

The numbers at the left of each column are for the purpose of harmonizing the items in the *Concordance* with those in Gordon's *Glossary*.

The principal abbreviation used is "Gl." This indicates that all references to the particular form are listed in the *Glossary* of Gordon's *Ugaritic Manual*.

"See" and "cf." are used to indicate that the Ugaritic form under discussion will also be found under the root to which cross reference is made.

Text references follow Gordon throughout. The *Concordance* includes all texts published so far together with some references to as yet unpublished material supplied by Virolleaud in correspondence.

A root that is not actually found in its simple triconsonantal form, will be noted without a text reference after it. E. g.,

'bd

yitbd Krt : 24

means the the form *yitbd* occurs but not the root form *'bd*.

ALPHABETIZING PRINCIPLE

The roots are in alphabetic order and are found near the left margin. Forms derived from a given root are found under that root, indented, and in alphabetic order. For example, the root *ytn* is near the margin and is numbered 874 to give the cross reference to Gordon's *Glossary*. All forms, whether verbs, nouns, names, or particles derived from *ytn* (or combined with it when the *ytn* or its derivative is the first element) are indented under the root strictly in alphabetic order. The order is not "verb then noun," nor are the verbs listed by any particular order of stems, but all the words are strictly alphabetized by the actual form.

The order of the alephs is *'a*, *'i*, *'u*.

A special note is necessary relative to compound proper nouns and proper nouns preceded by *bn* "son" or *bt* "daughter". Text references to occurrences of the compound names are given under the first elements. The second element is usually listed in its proper alphabetic position with cross reference to the first element. E. g., the reference to *kṯrwḫss* will be found under *kṯr* only. Under *ḫss* there is a cross references to *kṯr*. Except with the *bn* and *bt* elements in the compound names, no effort is made to separate the elements which comprise the whole. For since the correct analysis is not always clear, it has been decided to leave the analysis for the individual interpreter. All names compounded with *bn* or *bt* are listed together, alphabetized, under *bn* or *bt* respectively. Here will be found the text references. The second and/or third element will be found in its proper alphabetic position in the main section of the *Concordance* with a cross reference to the *bn* or *bt* section. Names, too, are listed alphabetically by form and not by root. Thus *bn yšmᶜ* is first under *bn* and there under *y* and not *š*.

G. DOUGLAS YOUNG

CONCORDANCE

1 **i** 67 : IV : 6, 7; Krt : 201
2 **u** see ʾ*w* below
3 **ỉ**– 305 : 1
4 **aupš** Gl.
5 **ab**
ab 2 : 25, 33; 40 : 3, 4; 49 : I : 8; 51 : IV : 24; 125 : 3, 5, 6, 17, 19, 98, 102, 104, 107; 129 : 1 (?); 137 : 16; 300 : 5; 321 : rev : III : 45; 1 Aq : 121, 191; 2 Aq : VI : 49; Krt : 37, 43, 136, 151, 278, 297; ʿnt pl. vi : V : 16; pl. ix : III : 24
abh 6 : 21; 51 : IV : 47; 77 : 19, 27, 30; 125 : 12; 127 : 40; 129 : 21; 137 : 33, 36; 1 Aq : 32, 59; Krt : 41, 59, 169; ʿnt : IV : 84; V : 43; pl. vi : V : 18
aby 129 : 19; 2 Aq : I : 24; 3 Aq : rev : 26
abk 49 : IV : 34, VI : 27; 127 : 27; 129 : 16, 17; Krt : 77
abm Gl.
abmlk Gl.
abn 75 : I : 9; 125 : 14
abrpu Gl.
abršp Gl.
6 **ib** I Gl.
7 **ib** II 77 : 1, 18, 37
8 **ʾbd**
yitbd Krt : 24
abdḥy cf. *bn abdḥy*
abdḥr cf. *bn abdḥr*
10 **ubdy** 85 : 1; 146 : 1; 300 : 1, 20, 30, rev : 5, 7, 9, 12, 16, 22, 25 (several partially restored)
11 **abdʿn** cf. *bn abdʿn*
12 **abḏr** cf. *bn abḏr*
13 **ubyn** Gl.
14 **abynm** Gl.
15 **abynt** Gl.
16 **ablm** 1 Aq : 163, 165; 3 Aq : 8, 8, rev : 30, 30
17 **ubln** Gl.
18 **ibln** cf. *bn ibln*
19 **abmn** Gl.
20 **abn** I
abn 51 : II : 2; 77 : 36; 130 : 19; 1 Aq : 8; Krt : 117, 235; ʿnt : III : 20; cf. *bn abn*; *ab*
abnm 52 : 66; ʿnt pl. x : V : 11, 23
21 **abn** II 62 : 2; 67 : VI : 17
22 **ubn** 151 : 4; cf. *bn ubn*; *aḫ ubn*
23 **ubš** Gl.
24 **abǵl** Gl.
25 **ibr**
ibr 51 : VII : 56; 75 : II : 56; 76 : III : 21, 36; 133 : 4
ibrh Krt : 120, 224
ibrm 75 : I : 32
26 **ibrd** cf. *bn ibrd*
27 **ibrmḏ** Gl.
28 **ibrn** 113 : 64; 114 : 3; 115 : 12; 163 : 1; 169 : rev : 7; 300 : rev : 5
29 **ubrʿy**
ubrʿy 65 : 4, rev : 4; 108 : 1; 113 : 28; 147 : 7; 311 : 10; 321 : III : 1
ubrʿn cf. *bn ubrʿn*
30 **ʾbrš** cf. *bn ubrš*
31 **abršn** Gl.
32 **agzr**
agzrym cf. *gzr*
agzrt cf. *gzr*
33 **agyn** 323 : IV : 9; 329 : 21; cf. *bn agyn*; *bn agynt*
34 **agytn** 309 : 12
35 **aglby** cf. *bn aglby*
36 **ʾgm**
agm 113 : 49
agmy 308 : 3 (?)
agmn cf. *bn agmn*
agmt 138 : 9

37 **agn** 46 : 5; 52 : 15, 31, 36
38 **agpṯn** 334 : 4
39 **agpṯr** Gl.
40 **agrtn** Gl.
41 **ugr**
ugr 2 : 19; 134 : 1, 4; cf. *bn ugr*; *gpn wugr*
ugry 321 : I : 45
ugrm 75 : I : 25
ugrt 2 : 5, 18, 27, 28; 9 : 13; 42 : 6; 51 : VIII : edge; 62 : 56; 107 : 11; 118 : 14, 25; (and Hurrian 4 : 11, 31 : 3)
ugrty 64 : 8, 9
42 **ad**
ad Gl.
adty Gl.
adtny 95 : 1, 5, 15
43 **id**– Gl.
44 **'db**
itdb Gl.
45 **add** Gl.
46 **ady** Gl.
47 **idk** 49 : I : 4, IV : 31; 51 : IV : 20, V : 84, VIII : 1, 10; 67 : I : 9, II : 13, V : 11; 76 : II : 8; 2 Aq : VI : 46; 3 Aq : rev : 20; Krt : 301; ʿnt : IV : 81, VI : 12, pl. vi : V : 13, pl. ix : III : 21
48 **adlḏn** cf. *bn adlḏn*
49 **adm** I
yadm Krt : 156
tadm 1 Aq : 204; Krt : 62
tidm 1 Aq : 204
50 **adm** II Krt : 37, 43, 136, 151, 297; ʿnt : II : 8
51 **idm** Gl.
52 **udm**
udm Krt : 108, 109, 134, 135, 210, 211, 276, 277
udmm 128 : I : 7
53 **adn**
adn 62 : 57; 77 : 13; ʿnt pl. vi : V : 17, pl. x : IV : 17; cf. *bn adn*
adnh 77 : 33
adnk 125 : 44, 57; 138 : 19
adnkm 125 : 60; 128 : VI : 5; 137 : 17, 34
54 **udn**
udn 127 : 42; 1 Aq : 79; 3 Aq : 23, 34
udnh ʿnt : IV : 46
udnk 6 : 23
55 **adʿ** Gl.
56 **adʿl** cf. *bn adʿl*
57 **adr**
adr 75 : II : 30; 125 : 8, 108; 2 Aq : VI : 20, 21, 22, 23
adrm 98 : 2; 2 Aq : V : 7
adrt 119 : 4, 16, 28
adrtm 119 : 7, 18
58 **idrm** cf. *bn idrm*
idrn cf. *bn idrn*
59 **udr** Gl.
60 **idṯ** Gl.
61 **aḏddy** Gl.
62 **aḏdt** cf. *bn aḏdt*
63 **aḏml** Gl.
64 **aḏmny** cf. *bt aḏmny*
65 **aḏmṯn** cf. *bn aḏmṯn*
66 **uḏp** cf. *bn uḏp*
67 **uḏr** cf. *bn uḏr*
68 **'hb**
ahbt 51 : IV : 39; ʿnt : III : 4
yuhb 67 : V : 18
69 **ahl**
ahl 2 Aq : V : 32
ahlm 128 : III : 18; 1 Aq : 212, 222
70 **'ḥp**
yaḥp Gl.
71 **iht** ʿnt pl. vi : VI : 8
72 **'w**
u 2 : 14, 15, 31; 125 : 4, 18, 22, 105; 128 : III : 29; 133 : rev : 6
u . . . u 2 : 23; 51 : VII : 43; 52 : 64, 65
73 **uwil** Gl.
74 **'wl**
awl Gl.
iwl Gl.
75 **awldn** Gl.
76 **'wr**
ar 51 : I : 17, IV : 55, VI : 10; 67 : V : 10; 77 : 38; ʿnt : I : 24, III : 3, pl. vi : V : 49
yark 77 : 39
77 **iwr**
iwr Gl.
iwrḏr Gl.
iwrḫṯ 300 : 13, 25
iwrpzn Gl.
iwrpḫn Gl.

78 **ʾwš**
ušn Gl.
79 **izl** cf. *bn izl*
80 **izml** Gl.
81 **uzn** cf. *bn uzn*
82 **ʾzr** I
mizrt Gl.
mizrtm Gl.
83 **ʾzr** II
uzr 2 Aq : I : 3, 8, 10, 11, 12, 13
uzrm 2 Aq : I : 22, 23
84 **aḥd**
aḥd 29 : 1, 2, 3; 49 : I : 18, V : 22; 112 : 5, 8; 119 : 3, 19, 20; 137 : 25; 314 : 4; Krt : 184
aḥdh 55 : 5, 7, 9, 29; 56 : 16, 20, 31, 35
aḥdy 51 : VII : 49
aḥdm 317 : 4
aḥt 19 : 12, 14, 15, 16, 19; 87 : 7; 119 : 7, 10, 11, 21, 24, 26
85 **aḥl** Gl.
86 **aḫ** I
aḫ 49 : VI : 10, 14; 125 : 79; 3 Aq : rev : 24
aḫh 51 : VI : 44; 75 : II : 49; 125 : 53, 55; 2 Aq : I : 20, 21
aḫy 49 : II : 11; 51 : VIII : 38, 39; 67 : I : 23, 24; 138 : 3, 10, 15; 1 Aq : 196; 2 Aq : II : 15
aḫyh 75 : II : 51
aḫk 51 : V : 90; 76 : II : 25; 125 : 73; 138 : 18
aḫm 124 : 5; Krt : 9
aḫt 76 : II : 16, 20, III : 11
iḫh 77 : 35; 145 : 23
iḫy 80 : II : 17; 154 : 12
uḫh 329 : 9
uḫy 18 : 17
aḫubn 300 : 5; cf. *bn ubn*
aḫyn 314 : 10; cf. *bn aḫyn*
aḫny 300 : rev : 23
aḫqm 314 : rev : 4
iḫyn 322 : II : 6; 323 : IV : 11; cf. *bn iḫyn*
iḫny 304 : 13
iḫqm 18 : 20
aḫth ʿnt : IV : 83; 125 : 51
aḫty 322 : VI : 2
aḫtk 125 : 28, 31, 32, 38
aḫtmlk 95 : 4
aḫtth 77 : 36
87 **aḫ** II Gl.
88 **aḫd**
aḫd 51 : IV : 60, V : 118, VII : 9; 73 : 4; 76 : II : 6; 2 Aq : I : 31, II : 5, 19; cf. *aḫḏ*
aḫdt 51 : II : 3
yaḫd 93 : 11
yiḫd 49 : V : 1; 56 : 12, 17; 125 : 47; 128 : II : 16; 132 : 1; 2 Aq : I : 35
yuḫdm 51 : IV : 16
miḫdt 319 : 1
tiḫd 49 : II : 9, 30; 51 : VII : 35; 132 : 2; 1 Aq : 9
tuḫd 137 : 40, 40
89 **aḫdbu** Gl.
90 **aḫd** cf. no. 88; 75 : II : 33, 34, 36
91 **(u/d)ḫnp** 65 : rev : 2; cf. *ḫnp*
92 **ʾḫr**
aḫr 49 : V : 20; 51 : III : 23, V : 106; 77 : 32; 121 : II : 5; 137 : 30; 2 Aq : V : 25; Krt : 195, 209
uḫry 75 : II : 28; 1 Aq : 155, 162, 169
uḫryt 2 Aq : VI : 35
93 **uṭ**
uṭ Gl.
uṭm Gl.
94 **ay**
ay Gl.
ayaḫ 333 : 6
aymr 68 : 19; 137 : 6
95 **iy** Gl.
96 **ʾyb**
ib 51 : VII : 35, 38; 77 : 18; 1 Aq : 221; ʿnt : III : 34, IV : 48, 49
iby 76 : II : 24
ibk 68 : 8, 9
97 **ʾyk**
ik 49 : VI : 24, 26; 51 : II : 21, 23, III : 28, IV : 31, 32, VIII : frag. to restore VII : 53-8 : 1; 67 : II : 21, IV : 21, 23, 24; 125 : 3; 137 : 40; 3 Aq : 9; ʿnt : III : 33
iky cf. *kyy*
ikm 26 : 10; 125 : 20

98 **'yl**
ayl 99 : 4
aylm 62 : 24
aylt 67 : I : 17; ʿnt pl. x : V : 19

99 **'yn**
in 23 : 8; 51 : IV : 44, 50; 54 : 14; 126 : V : 16, 19, 22; 129 : 19, 22; 1 Aq : 76, 117, 131; 2 Aq : I : 19; Krt : 142, 287; ʿnt : V : 41, 46, pl. vi : V : 36
inmm 54 : 9

100 **iyṯ** Gl.
101 **ak** 27 : 8; 49 : V : 21
102 **ik** cf. *'yk*
103 **ikzi** Gl.
104 **'kl**
akl 56 : 17; 69 : 3; 84 : 1; 1 Aq : 9; Krt : 81, 172
ikl 124 : 24
aklm 75 : I : 26, 36; II : 36
aklt 1 Aq : 69, 72
aklth 1 Aq : 68
yakl 51 : V : 103
yikl 75 : II : 14
tikl 49 : II : 35; 51 : VI : 24, 27, 29
tikln 75 : I : 10

105 **ikrn** Gl.
106 **aktmy** cf. *bn aktmy*
107 **al** I 49 : VI : 26; 51 : III : 5, V : 126, VI : 8, 10, VII : 45, VIII : 15, 17; 67 : III : 11; 125 : 25, 26, 31, 34; 129 : 17; 137 : 15; 145 : 12; 1 Aq : 159; 2 Aq : VI : 34; 3 Aq : 9, rev? : 8; Krt : 133, 275; ʿnt : I : 1, pl. vi : V : 29, 30
al II 51 : VIII : 1, 10, 17; 67 : V : 12; 137 : 14; Krt : 116; ʿnt : VI : 12

108 **il**
il 1 : 2, 7; 2 : 17, 25, 26, 33, 34; 3 : 14, 28; 6 : 20; 9 : 3; 14 : 1; 17 : 15; 23 : 2; 33 : 8; 49 : I : 5, 7, 9, 15, 21, 37, III : 4, 10, 14, 22, 24, IV : 26, 34, 37, 47; VI : 27, 30, 31; 51 : I : 13, 31, 32, 34, 35, 37, 39, 42, II : 10, 34, 35, 36, III : 31, IV : 21, 23, 25, 27, 38, 41, 47, 52, 58, VI : 12, 42, VII : 3, 5, 47, VIII : 32; 52 : 33, 34, 35, 37, 39, 42, 45, 49, 52, 53, 59, 60; 67 : I : 8, II : 9, IV : 21, VI : 11; 72 : 1; 73 : 5; 75 : I : 9, 12, II : 6, 10, 45, 61; 76 : I : 3, 34; 77 : 44, 45; 107 : 1, 12, 13, 14, 15, 16, 17, 18; 121 : I : 8; 122 : 8; 124 : 5, 6, 7, 20; 125 : 10; 126 : IV : 2, 3, 4, 7, 10, 11, V : 22, 47; 128 : II : 16, 19, 20, III : 19, V : 17, 26; 129 : 4, 16, 19; 133 : rev : 13; 134 : 8; 135 : 7; 137 : 21, 30, 33, 36; 1 Aq : 13, 153, 198; 2 Aq : I : 33, 35, II : 5, 22, V : 21, 31, VI : 47; 3 Aq : rev : 15; Krt : 5, 36, 41, 59, 62, 77, 135, 153, 155, 169, 278, 300; ʿnt : III : 36, 41, 43, V : 38, 43, 47, VI : 14, pl. vi. : IV : 7, pl. vi : V : 15, 34, pl. ix : III : 22, 26, pl. x : IV : 4, 12, 13, 14, 18, 28, pl. x : V : 22; See *iril*; *bn il*; *bn ibil*; *bn ilṯtmr*; *bn nʿril*; *bn ṣdqil*; *bn ṯbil*; *dnil*; *ḥnnil*; *ybnil*; *yknil*; *ymil*; *lṭpnil*; *nṣbtil*; *ʿbdil*; *ǵlil*; *šlmil*
ila cf. *ilš*
iladd 107 : 9
ilbʿl 322 : V : 2
ildgn 321 : III : 9
ilhd 75 : I : 41, II : 6, 23; 76 : II : 5, III : 9; 321 : III : 33
ilhm 1 : 3, 5, 9; 3 : 12, 18
ilht 1 : 18; 51 : VI : 48, 50, 52, 54; 77 : 11, 40; 126 : IV : 5, 9, 13; 136 : 2; ʿnt pl. vi : V : 36
ilwaṯrt 107 : 5
ilḥbn cf. *bn ilḥbn*
ilḫš 107 : 9
ilym 150 : 13
ilk ʿnt pl. ix : II : 13
ilm 1 : 22; 3 : 6; 5 : 2, 8, 23, 24; 17 : 7; 18 : 19; 33 : 5, 6; 49 : I : 3, II : 24, III : 41, IV : 32; 51 : I : 23, III : 9, 26, 35, IV : 32, 51, V : 63, 65, 110, VI : 47, 49, 51, 53, 55, VII : 6, 50, 51, VIII : 15, 21, 24, 44; frg. for 51 : VII : 2, 4; 52 : 1, 13, 15, 19, 20, 23, 28, 60, 67; 54 : 12; 62 : 9, 11, 13, 18, 47; 67 : I : 7, 9, 12, II : 13, III : 14, 15, 20, V : 6; 75 : I : 28; 77 : 25; 95 : 7; 117 : 7; 121 : II : 9; 124 : 13; 125 : 22, 105; 126 : V : 11, 16, 19, 20, 23; 128: II : 7, 11, III : 17, 18; 129 : 15, 19; 130 :

27; 136 : 2; 137 : 18, 20, 22, 23, 24, 26, 27, 29, 34, 37; 138 : 4; 1 Aq : 112, 127, 141, 185, 191, 209, 211; 2 Aq : I : 3, 7, 13, 22, 2 Aq : V : 20, 29; 3 Aq : rev : 7; ʿnt : III : 29, 40, 42; IV : 76, 78, V : 46, pl. vi : V : 11, 25, 28, pl. ix : III : 19, pl. x : IV : 6; See *bn ilm*; *bn ʿbdilm*; *ʿbdilm*

ilmkr 321 : I : 9

ilmlk 62 : 53; 127 : 59; 151 : 9; 308 : 24

ilṣpn 17 : 13; ʿnt : III : 26, IV : 63

ilrb 321 : III : 41, IV : 15

ilšḥr cf. *bn ilšḥr*

ilšpš 304 : 12; 333 : 1

ilštmʿ 113 : 29; 144 : 7; 146 : 1; 160 : 1

ilštmʿy 64 : 29, 30, 31; 314 : rev : 6, 7, 9; 327 : 8

ilštmʿym 91 : 1; 147 : 3

ilt 23 : 4; 49 : I : 12; 51 : IV : 49; 128 : III : 26; Krt : 198, 202; ʿnt : II : 18, V : 45; cf. *bn ilt*

iltasrm 1 : 1

ilṯḥm 321 : II : 5

iltm 314 : 16

iltmgdl 1 : 11

ilṯtmr cf. *bn ilṯtmr*

109 **ul**

ul Krt : 88, 178

ulny 68 : 5

110 **ilib**

ilib 17 : 14; 44 : 3, 5; 72 : 1

ilibh 2 Aq : I : 27, 45

iliby 2 Aq : II : 16

111 **aliy(n)** cf. *lʾy*

112 **ilgn** Gl.

113 **i(l/ṣ)d** cf. *bn i(l/ṣ)d*

114 **ilḏ** Gl.

115 **ilwn** Gl.

116 **alz** cf. *bn alz*

117 **ilḥu** Gl.

ilḥbn cf. *il ḥbn*

118 **alḫn** Gl.

119 **aly** Gl.

120 **ily**

ily 321 : II : 22

ilyn 321 : II : 47

121 **all**

all 49 : II : 11; 75 : II : 48; 1 Aq : 48

al 1 Aq : 37

122 **ill** Gl.

123 **ull**

ull Gl.

ullym Gl.

ullyn Gl.

124 **ulm**

ulm Gl.

ulmy cf. *bn ulmy*

125 **almg** Gl.

126 **ulmn**

almnt Gl.

ulmn Gl.

127 **aln** Gl.

128 **iln**

ilnym Gl.

ilnm Gl.

129 **uln**

uln 321 : I : 39, II : 7, 8, 17

ulnhr 155 : 4

130 **alnr** Gl.

131 **ilsk** Gl.

132 **alp** I

alp 1 : 2, 5; 3 : 14; 5 : 6, 16; 9 : 2, 8; 44 : 4; 51 : V : 107; 69 : 3; 70 : 3; 76 : III : 3, 16; 132 : 16; 172 : 6; 2 Aq : II : 29; Krt : 122, 225; ʿnt : IV : 85, pl. vi : V I : 4, pl. x : IV : 30

alpm 51 : VI : 40, 49; 62 : 20; 124 : 12; 171 : 1

133 **alp** II

alp 12 : 2; 51 : V : 86, 118, VIII : 24, 25; 77 : 20; 90 : 6; 96 : 1; 120 : 3; 132 : 3; 1 Aq : 205; 2 Aq : V : 9; 3 Aq : rev : 21; Krt : 92; ʿnt : I : 15, IV : 82, 89, VI : 17, pl. ix : II : 14, pl. ix : III : 2

alpm 51 : I : 28; 1 Aq : 221; Krt : 180

134 **ulp** 2 : 12, 13, 20, 21, 22, 28, 29, 30

135 **ilṣy** Gl.

136 **ilqṣm** Gl.

137 **ilrš** Gl.

138 **ilš**

ilš 126 : IV : 4, 7, 8, 11, 12; 1 Aq : 219

ila 1 : Aq ; 219 = **ilš**(?)

139 **ilšiy** Gl.

140 **ilšn** 321 : III : 34; 333 : 3

141 **alt** Gl.
142 **ilṯḥm** cf. *il*
143 **iltm** cf. *il*
144 **ulṯ** Gl.
145 **alṯy**
alṯy 2 : 21, 29
alṯn cf. *bn alṯn*
146 **um** (mother) see *'mm* II
147 **'m**
amt 51 : IV : 61; 75 : I : 16; Krt : 56, 129, 141, 287
amht 51 : III : 21, 22
148 **'m–**
im– Gl.
149 **amd** Gl.
150 **amdn** cf. *bn amdn*
151 **amḏy** Gl.
152 **umḫ** cf. *bn umḫ*
153 **umy** cf. *bn umy*
154 **'mm** I
amt Krt : 63
amth Krt : 157
155 **'mm** II
um 52 : 33; 144 : 5; 1 Aq : 135; Krt : 9, 15
umh 77 : 34
umy 49 : VI : 11, 15; 95 : 1; 117 : 2, 5, 6; cf. *bn umy*
umt Krt : 6
umhthm 128 : I : 6
umty 1 Aq : 197
umtk 49 : IV : 43; 1 Aq : 202
156 **'mṣ** Gl.
157 **'mr**
yitmr 137 : 32
ytmr ʿnt : I : 22
158 **amr**
amr Gl.
amrbʿl 150 : 16
159 **imr**
imr 49 : II : 21; 51 : VI : 43, VIII : 18; 124 : 14; 127 : 17,20; 2 Aq : V : 17, 22; Krt : 66, 67, 160; ʿnt : pl. vi : V : 9, pl. x : IV : 32
imrh 49 : II : 8, 29
imrt cf. *bn imrt*
imrṯ or *hmrṯ* 42 : 5
160 **amry** Gl.
161 **amrr** Gl.
162 **amt** cf. *'m* and *'mm* I
163 **imt** Gl.
164 **an** I 49 : II : 15; 51 : IV : 59; 67 : II : 12, 19; 1 Aq : 64, 71; 2 Aq : VI : 38; 3 Aq : rev : 24; ʿnt : IV : 77, pl. ix : III : 18
165 **an** II Gl.
166 **an** III (?) Gl.
167 **in** see *'yn*
168 **un** 67 : II : 22, VI : 15; 144 : 3; 1 Aq : 40
ani 39 : 2
169 **inbb** Gl.
170 **and** Gl.
171 **anhb**
anhbm Gl.
172 **anḫ** Gl.
173 **anḫr** Gl.
174 **any**
any Gl.
anyt Gl.
175 **ank** 6 : 10; 13 : 7, 8, rev : 2; 49 : II : 20, 21, III : 18; 51 : IV : 60; 67 : I : 5; 75 : I : 18; 95 : 13; 126 : V : 25; 129 : 19; 130 : 21; 137 : 28; 2 Aq : II : 12, VI : 32, 45; 3 Aq : 26, 40, rev : 26; Krt : 137, 282; ʿnt : III : 25, pl. ix : III : 16, pl. x : IV : 18
176 **anm** Gl.
177 **inn** Gl.
ann 29 : 1
178 **annḏy** cf. *bn annḏy*
179 **annḏr** Gl.
180 **annḫ** Gl.
181 **anny**
anny cf. *bn anny*
annym cf. *bn annym*
182 **anntn** Gl.; cf. *bn anntn*
183 **annṯb** Gl.
184 **'np**
ap 5 : 12, 15; 52 : 20, 24, 59, 61; 67 : IV : 6; 2 Aq : V : 6; ʿnt pl. vi : V : 35
aph 55 : 5, 7, 9, 30; 56 : 36; 3 Aq : 26
apkm 2 : 23
apkn 2 : 14, 31
anpnm 75 : II : 38
185 **inr** Gl.

186 **'nš** I and II
anš Gl.
anšt Gl.
187 **'nš** III
inš 1 : 22; 3 : 27; 9 : 8
inšt 62 : 40; 81 : 5; 114 : 5; 115 : 3
188 **inšr** 154 : 10; cf. *bn inšr*
189 **'nt**
at 6 : 10; 9 : 11; 13 : 5, rev : 3; 33 : 2; 67 : V : 6; 68 : 11, 19; 75 : I : 14, II : 24; 137 : 3; 3 Aq : 12, 41, rev : 24; ʿnt pl. x : IV : 17
atm 102 : 6; 123 : 13; ʿnt : IV : 77, pl. ix : III : 18
190 **antn** Gl.
192 **'nṯ** I
aṯt 52 : 42, 42, 48, 49, 52, 64; 119 : 4, 5, 6, 8, 9, 10, 16, 19, 21, 22, 23, 24; 125 : 5, 19, 104; 128 : II : 21; 129 : 22; 1 Aq : 208; Krt : 12, 14, 228; ʿnt : I : 14, IV : 84
aṯth 126 : IV : 5, 9; 2 Aq : I : 40, V : 15; Krt : 102, 190
aṯty 52 : 60
aṯtk 126 : IV : 13; 128 : V : 23
aṯtm 52 : 39, 42, 43, 46, 48; 119 : 7, 11, 18, 20; 137 : 10
tinṯt 2 Aq : VI : 40
193 **'nṯ** II
unṯ 314 : 4
unṯm 314 : 17
194 **is** 10 : 7; cf. *bn is*
195 **isg** Gl.
196 **asm** Gl.
197 **ass** cf. *bn ass*
198 **'sp**
yisp 75 : II : 25
yitsp Krt : 18
tispk 1 Aq : 66, 73
199 **'sr**
asr Gl.
asrkm 137 : 37
asrm 1 : 11
tasrn ʿnt pl. x : V : 9, 22
200 **iǵyn** cf. *bn iǵyn*
201 **aǵlyn** cf. *bn aǵlyn*
202 **aǵlkz** Gl.
203 **aǵltn** Gl.; cf. *bn aǵltn*
204 **uǵr** ʿnt : IV : 78
205 **aǵt** 111 : 5; 113 : 14
aǵṯyn 326 : II : 4
206 **ap**
ap 13 : 5; 27 : 6; 42 : 2; 51 : I : 20; 62 : 42; 67 : VI : 25; 68 : 2; 95 : 13; 124 : 12; 125 : 3, 9, 17, 41, 101, 102, 110; 127 : 25; 128 : III : 24, 28; 137 : 20, 38, 43; 1 Aq : 16; 2 Aq : I : 2, VI : 32; 3 Aq : 26, rev : 5; ʿnt : IV : 75, pl. x : IV : 26; cf. *aplb* below and *'np* above.
aphm 137 : 13
aphn 1 Aq : 20; 2 Aq : II : 28, V : 5, 14, 34
apn 125 : 119; ʿnt : I : 24
apnk 49 : I : 28; 67 : VI : 11; 125 : 46; 128 : II : 8; I Aq : 19, 38; 2 Aq : II : 27, V : 4, 13, 28, 33
apnnk 122 : 5
ap[ ]*n* 80 : II : 7
210 **'py**
yip Krt : 83, 174
211 **aplb** Gl.
212 **apn** I
apnm 318 : 3, 4, 5, 6, 7, 8
213 **apn** II cf. *ap*
214 **apnk** cf. *ap*
215 **aps**
apsh 49 : I : 33
216 **apsn** Gl.
217 **apq** Gl.
218 **upqt** Gl.
219 **apt** Gl.
220 **ipṯl** Gl.
221 **aṣ–** cf. *bn aṣ–*
222 **uṣb** cf. *bn uṣb*
223 **uṣbʿt**
uṣbʿ– 128 : V : 16
uṣbʿh 1 Aq : 8
uṣbʿt Krt : 64
uṣbʿth 51 : IV : 30; 68 : 14, 16, 21, 24; Krt : 158; ʿnt : II : 33, 35
224 **i(ṣ/l)d** cf. *bn i(ṣ/l)d*
uṣmm 98 : 4
225 **'ṣn**
aṣn– Gl.
226 **aqhr** Gl.

227 **aqht** 1 Aq : 1, 12, 66, 73, 91, 146, 153, 158, 166, 173, 177, 178; 2 Aq : V : 36, VI : 20, 26, 33, 33, 42, 51, 54; 3 Aq : 18, 22, 29, 39; 3 Aq : rev : 13, 21

228 **iqn**
iqni 118 : 28, 30, 32; Krt : 294
iqnim 51 : V : 81, 97; 77 : 21; Krt : 147; ʿnt pl. ix : II : 5
iqnu 118 : 23

229 **ar**
ar 30 : 2; 65 : 5; 65 : rev : 5; 113 : 48; 329 : 1; cf. *t̲t̲b* for *art̲t̲b*
ary 64 : 12, 13, 14, 15; 111 : 3; 113 : 8; 159 : 4; 306 : 4, 10; 309 : 14; 327 : 1; 329 : 4, 15; cf. *ary* below
aryn 311 : 3; cf. *bn aryn*

230 **ur** Gl.

231 **ʾr**
irt 124 : 25; 153 : 4 (?)
irth 67 : V : 25; ʿnt : III : 2
irty 49 : III : 19; 2 Aq : II : 13
irtk 51 : V : 67; 129 : 8; 3 Aq : rev : 19
irtm 68 : 3

232 **ar–** Gl.

233 **irab** Gl.

234 **ʾrb**
urbt Gl.

235 **arbdd** Gl.

236 **irby**
irby Krt : 103, 192
irbym ʿnt : II : 10

237 **irbn** cf. *bn irbn*

arbʿ cf. *rbʿ*

239 **irbṣ** Gl.

240 **argmn**
argmn Gl.
argmnk Gl.

241 **irgn** cf. *bn irgn*

242 **arwdn** cf. *bn arwdn*

243 **arwt̲** cf. *bn arwt̲*

244 **arz**
arz 51 : VII : 41; cf. *bn arz*
arzh 51 : VI : 19, 21
arzm 51 : V : 72

245 **arḫ**
arḫ Gl.
arḫt Gl.

246 **ary**
aryh 49 : I : 13; 51 : IV : 50, VI : 44; 75 : II : 48; 2 Aq : I : 20, 22; ʿnt : V : 45; cf. *ar* above
aryy 51 : II : 26; 67 : I : 23, 25; 2 Aq : II : 15
aryk 51 : V : 91

247 **uryy** cf. *bn uryy*

248 **iryn** cf. *bn iryn*

249 **ʾrk**
ark 52 : 34; 321 : II : 42
arkty–m ʿnt pl. vi : V : 31
tirkm 52 : 33

250 **arkbt** Gl.

arl Gl.

253 **armwl** Gl.

254 **army** cf. *bn army*

255 **urmn** Gl.

256 **armsǵ** Gl.

257 **arn** Gl.

258 **arny** Gl.

259 **arśw**
arśw 64 : 6; cf. *bn arśw*
arsw 305 : 2
arswn 305 : 10

260 **irǵn** Gl.

261 **irp**
irpm Gl.

262 **arpt̲r** Gl.

263 **arṣ**
arṣ 49 : I : 15, 37, II : 16, 19, III : 9, 21, IV : 29, 40, V : 4; 51 : I : 41, V : 71, 83, VII : 31, 44, 52, VIII : 4, 8, 9, 13; 52 : 62; 62 : 8, 18; 67 : II : 5, 16, III : 4, V : 6, 15, 16, VI : 5, 8, 10, 14, 25, 27; 68 : 5, 23, 26; 75 : I : 3; 76 : I : 9, 17, II : 24; 122 : 14; 125 : 54; 126 : III : 2, 3, 5; 128 : III : 3, 14; 1 Aq : 112, 127, 141, 159; 2 Aq : I : 28, VI : 15, 46; ʿnt : I : 4, II : 39, III : 11, 13, 21, 25, 40, 41, IV : 52, 54, 60, 68, 72, 74, 80, 87, VI : 16, pl. vi : V : 9, 13, pl. ix : II : 10, 20, pl. x : V : 28
arṣh Krt : 29
arṣy 51 : I : 19, IV : 57; 130 : 12; ʿnt : III : 4

264 **arr** 76 : III : 30, 31

265 **ʾrš**
arš 62 : 50
irš 135 : 2; 2 Aq : VI : 17, 26, 27
yarš Krt : 42
taršn 49 : II : 14; ʿnt : V : 36
irš
iršyn cf. *bn iršyn*
iršn 325 : 17
266 **irt** cf. *ʾr*
267 **art**
art 109 : 3; 113 : 10
arty 64 : 10, 11; 312 : 3
artyn 306 : 4
arttb cf. *ttb*
268 **urt**
urt 144 : 7
urtn 151 : 2
270 **ʾrṯ**
arṯm 137 : 19, 35; cf. *yrṯ*
271 **iš** Gl.
272 **ʾš**
išt 49 : II : 31, V : 14; 51 : II : 8, VI : 22, 25, 27, 30, 32; 52 : 11, 12, 14, 41, 44, 48; 75 : II : 58; 129 : 13; 137 : 32; ʿnt : III : 42
ištm 137 : 32
273 **išd**
išdym 8 : 9
išdk ʿnt : III : 17, IV : 56, pl. ix : II : 2, pl. ix : III : 11
274 **ušḫry** Gl.
275 **ušk** Gl.
276 **uškn**
uškn Gl.
uškny Gl.
277 **ušn** cf. *ʾwš*
278 **aškrr** Gl.
279 **ušpǵt** Gl.
280 **išryt** 8 : 1; 124 : 19; 3 Aq : rev : 28
281 **ušry** Gl.
ištš or *hštš* 13 : 7
282 **at(m)** cf. *ʾnt*
283 **ʾtw**
at(m) cf. *ʾnt*
at 6 : 11; 49 : II : 12; 75 : II : 8, 24; ʿnt pl. ix : III : 16
atw 128 : IV : 22 (?)
atwt 51 : IV : 32
aty 2 Aq : II : 21
atm 75 : I : 15; ʿnt : III : 25
tit 121 : II : 10
tity 121 : II : 4; 128 : III : 17, 18
ity 153 : 2
285 **atyn** Gl.
286 **atlg**
atlg Gl.
atlgy Gl.
287 **atn**
atn cf. *bn atn*
atnprln 62 : 54
288 **atnt(h)** Gl.
289 **atnb(atnbḫr)** Gl.
290 **its** Gl.
291 **aṯ** Gl.
292 **iṯ**
iṯ 3 : 55; 49 : III : 3, 9, 21; 52 : 72, 74; 1 Aq : 110, 125, 125, 139, 145; 2 Aq : I : 21; 3 Aq : rev : 18; ʿnt : III : 18
iṯm 67 : III : 24
(i)iṯt 117 : 15; Krt : 201 (?)
293 **uṯḫt** Gl.
294 **iṯl** Gl.
295 **uṯpt** Gl.
296 **ʾṯr**
aṯr 5 : 24; 8 : 7, 8; 49 : II : 9, 30; 51 : IV : 18; 62 : 7; 67 : VI : 24; 126 : V : 6; 2 Aq : II : 17; Krt : 94, 95, 182, 183
aṯrh 121 : II : 2; 122 : 3, 11; 123 : 5, 10, 11, 21; 2 Aq : I : 29, 47
aṯrk 124 : 3
aṯrm 8 : 7, 8
297 **uṯryn** Gl.
298 **aṯrn** 323 : V : 2
299 **aṯrt**
aṯrt 1 : 6; 3 : 15, 40; 6 : 30; 9 : 6, 8; 49 : I : 12, 16, 17, 19, 25; 51 : I : 15, 22, II : 26, 28, 31, 41, III : 25, 27, 29, 34, 38, IV : 2, 4, 14, 31, 40, 49, 53, 59, 61, V : 64, VIII : frag. to restore VII : 53-8 : 1; 52 : 11, 12, 13, 20, 24, 28; 75 : I : 17; 107 : 5; 128 : II : 26, III : 25; Krt : 198, 201; ʿnt : I : 15, V : 44, VI : 10; cf. *ilwaṯrt*; *bn aṯrt*
aṯryt 2 Aq : VI : 36

aṯtrt 51 : II : 13

aṯt cf. ʾ*nṯ*

300 **b**

b 2 : 14, 23, 31; 3 : 1, 3, 4, 38, 45, 47, 50, 51, 55; 6 : 23; 9 : 1, 5; 18 : 19, 20, 21; 19 : 13; 20 : 4; 22 : 8; 24 : 10; 37 : 6; 49 : I : 18, 29, 34, 37, 38, 39, II : 10, 11, 21, 23, 25, 31, 32, 34, III : 4, 5, 10, 11, 19, IV : 42, 43, V : 2, 3, 8, 13, 14, 15, 18, 19, 20, VI : 32; 51 : I : 25, 32, 33, 35, 36, 44, II : 4, 6, 7, 12, 16, 32, 35, 42, III : 13, 15, 16, 21, 22, IV : 36, 37, V : 39, 69, 70, 75, 76, 86, 92, 98, 99, 117, 123, 124, 126, 127, VI : 5, 6, 8, 9, 22, 23, 25, 26, 27, 28, 30, 31, 32, 33, 44, 45, 57, VII : 5, 6, 13, 17, 18, 26, 27, 29, 41, 48, 49, VIII : 8, 18, 19, 23, 24; 52 : 4, 6, 8, 11, 12, 14, 20, 24, 27, 36, 38, 51, 59, 61, 62, 63, 64, 70; 54 : 19; 55 : 3, 5, 7, 9, 30; 56 : 22, 36; 62 : 2, 8, 16, 17, 50; 67 : I : 7, 16, 19, 21, II : 4, III : 10, 11, 19, 22, 26, IV : 9, 14, 16; V : 5, 15, 18, 19, VI : 17, 18, 25; 68 : 3, 6, 13, 14, 15, 16, 21, 23, 24, 28, 38; 70 : 3; 75 : I : 20, 21, 30, 33, 40, 41, II : 37, 39, 53, 56; 76 : II : 4, 5, 6, 11, 23, 24, 25, 28, 29, 30, III : 12, 13, 19, 25, 28, 29, 30, 31, 32, 32; 77 : 3, 18, 43, 45, 46; 90 : 2; 100 : 7; 107 : 12, 13, 14, 15, 16, 17, 18; 116 : 2; 119 : 1, 2, 3, 4, 5, 6, 7, 8, 9, 10, 11, 12, 13, 15, 17, 19, 20, 21, 22, 23, 24, 25, 26, 27, 29, 30; 120 : 1; 121 : I : 5, II : 1, 9; 123 : 2, 20, 25; 124 : 6, 16, 24, 25; 125 : 2, 5, 14, 16, 19, 34, 35, 41, 45, 47, 98, 100, 104, 114; 126 : III : 9, 15, 16, V : 7, 11, 14, 16, 19, 22; 127 : 10, 32, 45, 57, 58; 128 : I : 3, II : 9, III : 14, 15, 22, IV : 24, 25, V : 7, 8, 15, 22, 27, VI : 8; 129 : 9, 12, 19, 20, 21; 131 : 4, 9; 132 : 1, 2; 133 : rev : 6, 7; 134 : 4; 135 : 5; 137 : 6, 9, 12, 24, 39; 143 : A : 1; 146 : 2, 3; 147 : 2; 152 : 2; 153 : 7, 9; 300 : 2, 3, 4, 5, 6, 8, 9, 10, 11, 12, 13, 14, 15, 16, 17, 18, 19, 21, 22, 23, 24, 25, 26, 27, 28, 31; 300 rev : 3, 6, 8, 10, 11, 14, 15, 17, 18, 19, 20, 23, 24, 26; 305 : 1; 311 : 11, 12; 317 : 2, 3, 4; 318 : 2; 329 : 12; 330 : 1, 2, 3, 4, 5; 1 Aq : 9, 13, 30, 39, 41, 62, 63, 65, 67, 69, 70, 72, 75, 76, 77, 105, 112, 113, 120, 126, 134, 141, 141, 142, 145, 147, 151, 156, 158, 159, 160, 172, 179, 183, 184, 186, 192, 204, 205, 207, 213, 214, 216, 217, 218, 219; 2 Aq : I : 16, 17, 26, 27, 31, 33, 34, 41, 44, 45, II : 5, 7, 8, 13, 16, 22, 23, 26, 39, V : 4, 6, 7, 9, 17, 23, 26, 39, VI : 5, 10, 21, 22, 23, 41, 43, 44; 3 Aq : 9, 10, 15, 17, 18, 26, 28, 29, 37, 38; 3 Aq : rev : 14, 18, 21, 27; Krt : 20, 25, 26, 27, 32, 35, 36, 38, 56, 60, 61, 72, 78, 79, 108, 111, 112, 113, 119, 129, 141, 142, 149, 150, 151, 159, 160, 164, 165, 170, 171, 196, 209, 214, 215, 216, 221, 273, 286, 288, 296, 297; ʿnt : I : 7, 10, 11, 12, 16, 17, 19, 21, II : 5, 6, 13, 14, 16, 19, 25, 26, 27, 28, 29, 32, 34, 35, 43, III : 11, 12, 26, 27, 28, 29, 30, IV : 45, 52, 53, 67, 72, 82, VI : 17, pl. vi : V : 19, 31, 34, 36, pl. vi : VI : 6, pl. ix : II : 6, 14, 19, pl. ix : III : 2, 5, pl. x : IV : 8, 10, 22, pl. x : V : 5, 6, 18

bm 6 : 13; 51 : III : 17; 52 : 51, 56; 74 : 4; 75 : I : 12, 13; 76 : II : 7, III : 31; 117 : 14; 124 : 5; 125 : 42, 48; 126 : III : 10; 128 : II : 17; 137 : 39, 42; 1 Aq : 35, 74; 2 Aq : I : 40; Krt : 31

301 **bab** Gl.

302 **bir**

bir Gl.

birtn Gl.

303 **burm** Gl.

304 **bʾš**

baš 18 : 18

biš 19 : 10

305 **bb** cf. *bnbb*

306 **bb–m** Gl.

307 **(b/d)bnn** cf. *bn* (*b*/*d*)*bnn*

308 **bbr** Gl.

309 **bd**

ybd 2 Aq : VI : 31; ʿnt : I : 18

tbd 136 : 7; see *d* II

310 **bdil** Gl.

311 **bddn** cf. *bn bddn*

312 **bdl**

bdl Gl.

bdlm 150 : 20; 314 : rev : 2, 10

313 **bdn** Gl.

314 **bdqt** cf. *ydq*

315 **bhtm** cf. *byt*

316 **bhṯ** Gl.

317 **bwʾ**

bat 1 Aq : 213, 214

bu 127 : 3; 129 : 11; 167 : 1

bum 129 : 20

ybu 129 : 5

tbu 49 : I : 7; 51 : IV : 23; 127 : 3, 4, 5, 6, 7; ʿnt pl. vi : V : 15

tbun 128 : IV : 21, VI : 6

318 **bṯ**

tbṯ Gl.

319 **byn** I

bn Gl.

tbn Gl.

320 **byn** II

bn 49 : II : 18; 68 : 14, 16, 22, 25; 76 : II : 16; 3 Aq : 21, 31; ʿnt : II : 6, 20, 30, pl. vi : VI : 3

byn (?) III

bn 24 : 11; 32 : 6; see also *byn* I, *byn* II above, and *bny* below

bnt– 2 Aq : VI : 13

321 **byt**

bht 51 : V : 80, 81, 95, VI : 38; 129 : 7, 8; ʿnt : II : 4

bhth 51 : V : 98, VI : 16, 38, 44, VII : 42; 76 : II : 4; 77 : 18

bhty 51 : VI : 36, VIII : 35

bhtk 51 : V : 75, 92

bhtm 1 : 21; 51 : V : 113, 115, 123, 126, VI : 5, 8, 22, 25, 27, 30, 33, VII : 17, 26; 80 : I : 16; 81 : 6; 114 : 10

bt 1 : 12; 3 : 20, 24, 37; 5 : 2, 10, 16; 14 : 1, 2, 3, 4, 5, 6, 7, 8, 9, 11; 51 : IV : 50, 62, V : 72, 73, 90, 118, VII : 14; frg. for VII : 53-8 : 3; 67 : IV : 21, V : 15; 75 : II : 62; 119 : 1, 2, 3, 4, 5, 6, 8, 9, 10, 11, 12, 13, 15, 17, 21, 22, 23, 24, 25, 26, 27, 29, 30; 122 : 7; 124 : 24; 125 : 29; 126 : III : 17, IV : 8, 12; 127 : 3; 128 : IV : 21; 129 : 19; 134 : 3; 1 Aq : 32, 153, side; 2 Aq : I : 26, 32, 33, II : 4, 5, 21, 22; Krt : 82, 173; ʿnt : II : 29, V : 46, pl. vi : V : 11, pl. x : IV : 6, 21

bt (?) 20 : 6; 33 : 8; 51 : VIII : 7; 129 : 10; 335 : 5; Krt : 7; see also *bt* with *bn* below

bth 52 : 36; 128 : II : 9; 131 : 3; 329 : 14; 1 Aq : 170; 2 Aq : II : 26, 39; Krt : 96, 184; ʿnt : II : 17

bty 122 : 1, 9; 123 : 3; Krt : 132, 142, 203, 279, 288

btk 125 : 2, 16, 42, 100; 128 : II : 22; ʿnt pl. ix : III : 28

btm Krt : 24 (?)

322 **bky**

abky 1 Aq : 111, 126, 140

bk 8 : 10; 62 : 9; Krt : 60

bky 125 : 14, 98, 103

bkyh Krt : 31

bkym 125 : 116

bkyt 1 Aq : 171, 172, 183

bkm 51 : VII : 42; 76 : III : 30; 125 : 112; 1 Aq : 57, 58; ʿnt pl. x : V : 7, 20

bkt 127 : 4

ybk 1 Aq : 173, 177

ybky 125 : 12; 1 Aq : 146; Krt : 26, 39

tbk 3 Aq : 39

tbky 125 : 55, 97; 1 Aq : 34

tbkyk 125 : 6, 106

tbkynh 62 : 16

tbkn 125 : 25, 30; 128 : V : 12, 14

323 **bkr**

abkrn Gl.

bkrk Gl.

324 **bl** I

bl 49 : I : 20; 51 : V : 123, VI : 5, VII : 43; 75 : II : 8; 124 : 18; 125 : 15, 99; 1 Aq : 44, 45; 2 Aq : I : 21

blmt 2 Aq : VI : 27

blt 49 : I : 26; 67 : I : 18; 76 : III : 10

325 **bl** II

bl 49 : V : 28; 51 : II : 43; 75 : II : 24; 125 : 91, 93; 172 : rev : 2; Krt : 90, 91

326 **bl'**
nblat 51 : VI : 23, 25, 28, 30, 33
nbluh 8 : 4
327 **bld** Gl.
328 **blẓn** cf. *bn blẓn*
329 **bly** 150 : 9; cf. *bn bly*
330 **bln** Gl.
331 **blt** see *bl* I
332 **bmt**
bmt 51 : IV : 14, 15, VII : 34; 62 : 5; 67 : VI : 22; 1 Aq : 59, 60
bmth ʿnt : II : 12
333 **bn**
bn 2 : 18; 6 : 22; 8 : 12; 10 : 15; 19 : 14; frag. to restore VII : 53-8 : 7, 8, VII : 55; 52 : 2, 22, 65; 64 : 17, 18, 20, 21; 76 : II : 16; 80 : I : 2, 3, 9, II : 7, 9, 18; 84 : 10; 124 : 3; 125 : 25, 26, 110; 127 : 55; 128 : I : 6, III : 20, 23; 129 : 14; 137 : 21, 38; 144 : 4; 145 : 2, 10; 149 : 14, 15, 16; 150 : 22; 151 : 10; 152 : 13; 303 : 7, 8, 9, 11, 12, 13, 14; 304 : 14; 305 : 7; 306 : 12; 308 : 2, 24; 309 : 10; 322 : V : 3, 4, 5, 6, 7, 10, 11, 12; 324 : II : 13; 325 : 2, 5, 6, 7, 9; 325 : rev : 1, 2, 3, 4; 328 : 1; 400 : II : 1, III : 2, 12, 20, 21, V : 1, 2, 3, 4, 13, 14, 15, 18, 19, 20, 21, 22, 23, 24, 25, VI : 33, 34, 35; 2 Aq : I : 4, 11, 14, 19, 21, 23, II : 14, V : 37, 3 Aq : 19, 30; 3 Aq : rev : 13; Krt : 9, 56, 129, 141; ʿnt : V : 47, pl. ix : III : 29; see *byn* above; see immediately below for personal names preceded by bn. Among the *bn* names will be found also *bn il, bn ilm, bn at̲rt, bn bʿl, bn dgn, bn ym, bn qdš*.
bnh 15 : 12; 49 : I : 12; 51 : I : 14, IV : 49, 52; 119 : 1, 5, 21; 172 : rev : 3; 329 : 6; 2 Aq : I : 43; ʿnt : V : 45, pl. vi : I V : 2, pl. x : IV : 12
bny 51 : II : 25; 100 : 10; 126 : V : 24; 138 : 11, 16; 300 : 15; 1 Aq : 150; 2 Aq : I : 25; ʿnt pl. x : IV : 14
bnk 49 : I : 18; 100 : 11; 117 : 4; 124 : 2
bnkm 6 : 28
bnm 49 : VI : 11, 15; 51 : VII : 16; 100 : 2, 8, 9; 125 : 10; 128 : II : 23, III : 21
bnt 75 : II : 44; 77 : 6, 15, 40, 41; 100 : 9; 128 : III : 24; 130 : 23; 2 Aq : II : 26, 31, 33, 36, 38, 40; ʿnt : II : 2
bnth ʿnt : I : 23
bt 2 : 27; 51 : I : 17, 18, 19, IV : 55, 56, 57, VI : 10, 11; 52 : 45; 67 : V : 10, 11; 77 : 29; 100 : 5; 130 : 12; 144 : 7; 145 : 16; 171 : 4; 322 : VI : 2; 3 Aq : rev : 16, 17; ʿnt : I : 24, 25, III : 3, 4, 5, 43, pl. vi : IV : 4, 5, pl. vi : V : 35, 49; see also *byt* above; see below for probable personal names preceded by *bt*.
bth 119 : 22, 25, 27; 1 Aq : 49
btm 52 : 45
bn au(pš) 309 : 25
bn abdḥy 301 : IV : 10
bn abdḥr 64 : 36; 83 : 11
bn abdʿn 10 : 9; 64 : 31
bn abd̲r 324 : II (?) : 6
bn ubyn 301 : IV : 11
bn ibln 80 : I : 18; 301 : IV : 1
bn abn 64 : 24
bn ubn 308 : 5 (?)
bn ibrd 64 : 26
bn ubrʿn 146 : 3
bn u(?)brš 84 : 12
bn a–yn 400 : III : 2
bn a—y 325 : 9
bn agyn 86 : 2; 313 : 2, 5; 328 : 16
bn agynt 64 : 35
bn aglby 400 : VI : 3
bn agmn 301 : IV : 4
bn ugr 305 : 11
bn id– 38 : 2
bn ady 301 : I : 3
bn adld̲n 400 : I : 12
bn adn 152 : rev : 5; 307 : 3
bn adʿl 321 : II : 46
bn idrm 400 : II : 2
bn idrn 304 : 9
bn adty 400 : III : 13
bn ad̲dn/t 149 : 8
bn ad̲mt̲n 313 : 4
bn ud̲p 307 : 9
bn ud̲r 314 : 13

bn iwr 313 : 7
bn izl 80 : I : 17
bn uzn 85 : 7
bn aḫyn 91 : 5
bn iḫyn 323 : III : 7
bn aktmy 321 : IV : 10
bn il 2 : 17, 25, 26, 33, 34; 67 : I : 13; 107 : 1, 2, 3; 125 : 20; 135 : 7; 321 : II : 41; 332 : 5; 2 Aq : VI : 29
bn ilm 49 : II : 13, 25, 31, V : 9, VI : 7, 9, 24, 30; 51 : III : 14, VII : 46, VIII : 16, 30; 67 : I : 7, 12, II : 8, 11, 14, 19, 20
bn i(l/ṣ)d 400 : V : 25
bn alz 301 : II : 14; 325 : 12
bn ilḫbn 321 : III : 44
bn ullyn 330 : 5
bn ulmy 321 : I : 19
bn ilrš 323 : IV : 10
bn ilšḫr 146 : 15
bn ilt 80 : I : 19
bn alṯn 301 : II : 9
bn ilṯtmr 300 : 11
bn amdn 400 : VI : 29
bn umḫ 80 : I : 6
bn umy 311 : 8
bn imrt 323 : III : 10
bn un– 314 : 8
bn anndy 330 : 6
bn anny 155 : 6; 301 : I : 10
bn annyn 10 : 12
bn anntn 301 : IV : 7
bn inšr 146 : 10
bn is 10 : 7
bn ass 323 : III : 8
bn udp– 307 : 9
bn iǵyn 400 : II : 16
bn aǵlyn 321 : III : 19
bn aǵltn 400 : VI : 13
bn ap–n 80 : II : 7
bn aṣ– 400 : V : 23
bn uṣb 301 : IV : 5
bn i(ṣ/l)d 400 : V : 25
bn irbn 316 : 1
bn irgn 151 : rev : 2
bn arwdn 91 : 3; 309 : 4; 327 : 8
bn arwṯ 400 : I : 15
bn arz 64 : 25; 321 : II : 45
bn uryy 10 : 8
bn aryn 306 : 6
bn iryn 80 : I : 21; 300 : rev : 8; 301 : IV : 16
bn arkbt 323 : III : 12
bn army 321 : III : 22
bn arśw 327 : rev : 1; 400 : II : 14
bn iršyn 301 : rev : IV : 19; 400 : II : 12
bn –iršn 325 : 17
bn atn 301 : II : 2
bn atnb 149 : 9; 301 : IV : 13; 304 : 7
bn uṯryn 300 : 6
bn aṯrt 49 : V : 1; 51 : IV : 51, V : 63, VI : 46, frg. VII : 4; ʿnt : V : 47, pl. vi : IV : 1, V : 12
bn bi– 325 : 2 (?)
bn birtn 301 : I : 7; 325 : 13
bn bb 321 : IV : 9
bn bbnn or *dbnn* (?) 304 : 4
bn bddn 301 : I : 9; 400 : V : 7
bn bdn 321 : III : 30
bn –bl 321 : III : 15
bn bly 301 : II : 3; 304 : 10; 316 : 6; 400 : I : 2
bn blzn 321 : II : 9
bn bʿyn 64 : 3; 306 : 8; 309 : 12; 327 : rev : 4
bn bʿl 67 : II : 18
bn bʿly 314 : 11; 400 : VI : 4
bn bʿln 308 : 11
bn bʿm 86 : 6
bn bqš 323 : IV : 13
bn bri 300 : rev : 6
bn brzn 300 : 17; 303 : 6
bn brśm 149 : 11; 400 : II : 19
bn brsn 400 : I : 10
bn brq 308 : 15
bn btry 152 : rev : 7
bn gby 146 : 4
bn gdn 321 : III : 12; 323 : IV : 12
bn gdrn 321 : I : 43
bn gzl 321 : I : 5
bn gzry 400 : III : 1
bn glyn 149 : 18
bn glʿd 301 : I : 14
bn gmḫn 309 : 28

bn gmrt 321 : I : 10
bn gnb 328 : 7
bn g^{c}*yn* 64 : 33; 309 : 31; 328 : 12
bn g^{c}*r* 300 : 21
bn grbn 301 : IV : 18; 330 : 3
bn grgs 64 : 29; 327 : 9
bn grgš 145 : 15
bn gṯprg 149 : 12
bn gṯrn 66 : 4; 84 : 9; 300 : rev : 20; 321 : III : 7
bn –dit 10 : 14
bn dbnn or *bbnn* (?) 304 : 4
bn dgn 49 : I : 24; 62 : 6; 67 : VI : 23; 75 : I : 39, II : 26; 76 : III : 13, 15; 137 : 19, 35, 37; 306 : 7; Krt : 78, 170
bn dll 321 : rev : III : 28
bn dlq 308 : 4
bn dmtn 328 : 11
bn –dr 324 : II : 13
bn drt 307 : 5
bn dtn 400 : VI : 28
bn znan 321 : II : 44
bn zry 321 : I : 30
bn ḥgby 301 : II : 5
bn ḥgbn 325 : rev : 8; 400 : I : 19
bn ḥyn 309 : 24; 327 : 6
bn ḥmny 162 : 3
bn ḥṣbn 64 : 14
bn ḥṣn 321 : III : 11
bn ḥr 152 : rev : 3
bn ḥrẓn 301 : I : 5, 8; 321 : II : 23; 400 : V : 10
bn ḥrm 400 : I : 9
bn ḥrn 322 : VI : 1
bn ḫb– 85 : 2
bn ḫbty 325 : 16
bn ḫdi 321 : III : 8
bn ḫdyn 64 : 8; 308 : 18; 400 : VI : 11
bn ḫdmn 152 : rev : 5; 300 : rev : 11
bn ḫdpṯr 321 : III : 18
bn ḫḏnr 310 : 5
bn ḫzrn 400 : II : 15
bn ḫyrn 323 : III : 11, IV : 11
bn ḫlbym 301 : I : 2
bn ḫnzr 308 : 16; 400 : I : 14
bn ḫnyn 400 : VI : 19
bn ḫnqn 308 : 20

bn ḫsn 80 : I : 23
bn ḫpśry 147 : 2
bn ḫri 170 : 5
bn ḫran 64 : 30; 307 : 1; 309 : 8; 327 : 10
bn ḫrmln 80 : I : 12; 300 : rev : 10, 11
bn ḫ–ln 306 : 12
bn ḫršn 321 : III : 40
bn ḫṯ– 303 : 7
bn ṭ–rn 300 : 16
bn ẓlmt 51 : VII : 55, frag. for 51 : VII :8
bn ydln 300 : rev : 6; 303 : 8
bn yzg 301 : IV : 6
bn yy 321 : IV : 14
bn yyn 309 : 25
bn ykn 327 : rev : 2
bn ykn^{c}*(m)* 330 : 2
bn ylḥn 80 : I : 8
bn ylkn 325 : 14, rev : 7
bn ym 51 : VII : 15; 52 : 59, 61
bn ymn 145 : 4; 400 : II : 3
bn ynḥm 327 : rev : 5
bn ynq 314 : rev : 8
bn ysd 321 : I : 32
bn ys̀d 149 : 10
bn y^{c}*rn* 321 : III : 10
bn ypy 64 : 28; 327 : 5
bn yp^{c} 86 : 5
bn ypr 400 : III : 10
bn yṣi 322 : VI : 6
bn yṣmḫ 10 : 4
bn yṣr 307 : 10; 314 : 5, 12
bn yšm^{c} 400 : VI : 16
bn ytrm 321 : III : 25
bn kbd 322 : VI : 4; 400 : II : 18
bn kbln 155 : 1; 316 : 5
bn kdgdl 301 : I : 13
bn kdgdlm 400 : VI : 7
bn kdn 323 : III : 3; 400 : II : 20
bn kdrn 64 : 22; 305 : 8; 309 : 26
bn kḏǵbr 324 : II : 11
bn kwn 301 : IV : 8
bn ky 146 : 6
bn km 152 : 12
bn kmy 321 : III : 43
bn k–n 400 : II : 20
bn knn 321 : II : 36; 400 : VI : 20
bn ksln 10 : 3; 152 : 6

bn kplt(t/n) 324 : II : 7
bn krwn 325 : 15; 400 : III : 14
bn krz 325 : rev : 5
bn kryn 146 : 5
bn krm(t/n) 80 : I : 5
bn ktkt 64 : 16
bn ktln 301 : I : 15; 400 : VI : 14
bn ktmm 301 : IV : 14
bn kṯan 83 : 8
bn lgn 64 : 23
bn lḫsn 313 : 9
bn lky 321 : III : 27
bn –ll 300 : 25
bn llit 145 : 6
bn –ln 10 : 6
bn lṣn 64 : 5; 327 : rev : 3
bn mglb 316 : 2; 325 : rev : 10; 400 : VI : 32
bn mdn 165 : 2
bn mztn 400 : II : 5
bn –mḥ 327 : 3
bn mlk 149 : 17; 152 : 10; 158 : 2; 301 : II : 8
bn mlkyy 301 : II : 1
bn mlʿn 321 : III : 35
bn mmy 400 : VI : 18
bn mnyy 311 : 2
bn mṣry 306 : 13; 321 : I : 47
bn mṣrn 80 : II : 3; 301 : II : 15; 324 : II : 12
bn mryn 301 : IV : 21; 325 : rev : 6
bn mt– 314 : 9
bn nb– 314 : 10
bn nbdg 400 : I : 18; 400 : V : 24
bn ndbn 151 : rev : 1
bn ndr 144 : 4
bn ngzḥn 300 : 23
bn nḥbl 300 : 18
bn nkl 321 : I : 40
bn nklb 152 : rev : 6; 301 : IV : 20
bn nmš 321 : IV : 16
bn –nn 300 : 26
bn nnr 400 : VI : 2
bn nʿmn 10 : 5
bn nʿril 10 : 16
bn nǵsk 400 : III : 15
bn nṣ 155 : 1
bn nṣdn 316 : 8
bn nqly 400 : VI : 25
bn nqq 80 : I : 15
bn nr– 314 : 7
bn nryn 64 : 11
bn nt– 400 : V : 3
bn ntp 149 : 21; 152 : 9; 304 : 3
bn ntt 316 : 3
bn nṯǵm 400 : V : 12
bn śbl 152 : rev : 4; 400 : I : 13
bn sgr 400 : VI : 12
bn sgryn 330 : 4
bn sdy 309 : 23
bn śdy 64 : 15; 327 : 2
bn szn 301 : I : 12; 325 : rev : 9
bn sḫr 304 : 8
bn synn 300 : rev : 18
bn sl– 38 : 1
bn slg 10 : 13
bn slgyn 301 : II : 7
bn ślgyn 400 : II : 6
bn slyn 80 : I : 7
bn snrn 400 : VI : 26
bn ss 323 : III : 9
bn srd 10 : 5
bn srn 321 : I : 42
bn śrn 323 : III : 2
bn srt 307 : 2; 322 : VI : 7
bn ʿbd 80 : I : 24; 150 : 6
bn ʿbdilm 64 : 41; 327 : rev : 6
bn ʿbdy 328 : 10
bn ʿbdyrḫ 321 : III : 26
bn ʿbdnkl 321 : II : 43
bn ʿbdšḫr 308 : 19
bn ʿbl 301 : IV : 17
bn ʿbr 150 : 14
bn ʿgw 307 : 4; 321 : III : 20, IV : 7
bn ʿgwn 400 : VI : 15
bn ʿgrt 149 : 22
bn ʿdy 301 : II : 16; 309 : 27
bn ʿdl 307 : 8
bn ʿdr 149 : 19
bn ʿzn 400 : II : 13
bn ʿlr 80 : II : 17; cf. *bt ʿlr* in 14 : 5
bn ʿmy 158 : 6; 308 : 14
bn ʿmyn 323 : IV : 8; 325 : 11; 400 : III : 5

bn ᶜmtḏl 325 : 10
bn ᶜn 64 : 32; 80 : II : 19
bn ᶜntn 86 : 1
bn ᶜṣr 155 : 2
bn ᶜrmn 301 : II : 13
bn ᶜšq 147 : 4
bn ᶜṯṯ– 314 : 6
bn ᶜṯlṯ 86 : 3
bn ᶜṯtry 301 : I : 4
bn ǵb 321 : III : 24
bn ǵḥpn 316 : 4
bn ǵlm 309 : 6, 24
bn ǵlmn 64 : 13; 327 : 1
bn ǵrgn 301 : I : 16; 400 : V : 8; 400 : VI : 9
bn ǵrn 64 : 34; 328 : 15
bn pity 301 : II : 6; 301 : IV : 15; 400 : III : 17
bn pdy 155 : 2
bn pdn 323 : IV : 14
bn pdrn 308 : 22
bn pḏ 150 : 21
bn pzny 400 : VI : 31
bn pṭḏn 400 : I : 17
bn p–y 309 : 11
bn pll 300 : 24
bn pls 321 : III : 31
bn pndr 80 : I : 14
bn pᶜṣ 308 : 7
bn pǵḏn 308 : 10
bn pǵyn 321 : III : 29
bn pǵm 321 : IV : 1
bn ppn 85 : 6
bn prkl 10 : 10
bn prn 155 : 5; 324 : II : 8
bn prsn 400 : I : 21
bn prtn 400 : III : 9
bn –pṯ 305 : 7
bn ṣd– 99 : 8
bn ṣdqil 321 : III : 4
bn ṣmrt 322 : VI : 5
bn ṣnr 80 : II : 16
bn ṣnrn 300 : 8
bn ṣqn 400 : III : 7
bn ṣry 400 : II : 4
bn ṣrym 152 : 7
bn ṣrptn 321 : I : 46
bn qdmn 64 : 40
bn qdš 137 : 21, 38; 2 Aq : I : 4, 9, 14, 23
bn qdšt 400 : V : 11
bn qṭy 86 : 4; 300 : 19
bn qṭn 321 : I : 12; 400 : VI : 8
bn qldn 323 : III : 4
bn qnḏ 400 : III : 16
bn qnmlk 321 : I : 21
bn qṣn 152 : 5
bn qqln 80 : II : 12, 13, 14, 15; 303 : 2
bn qr– 400 : V : 4
bn qrw 11 : rev : 1
bn rwy 300 : 9; 400 : III : 4
bn rwyy 400 : I : 5
bn –rkṯ 321 : III : 16
bn rmyy 400 : I : 5
bn –rn 10 : 4; 300 : 28
bn rpš 321 : III : 23
bn ršp 64 : 12
bn ršpy 301 : II : 17; 400 : I : 22
bn rt 400 : III : 19
bn šyn 321 : I : 17; 400 : III : 8
bn šlmy 147 : 6
bn šml– 303 : 5
bn šmlbi 321 : IV : 13
bn šmrm 80 : II : 10; 300 : 26
bn špš 80 : I : 11; 321 : IV : 6
bn šrm 52 : 2, 22
bn –ššn 146 : 14
bn štn 10 : 11
bn tbd 314 : rev : 6
bn tbdn 10 : 7
bn tbšn 309 : 7; 311 : 1; 321 : III : 21
bn tgḏn 64 : 9; 309 : 29; 400 : VI : 10
bn tgtn 400 : V : 9
bn tkwn 300 : rev : 21
bn tlmyn 321 : I : 31; 400 : I : 6
bn tmy 321 : III : 36
bn tmr 400 : I : 20
bn –tn 80 : II : 18
bn tnn 80 : I : 13; 300 : rev : 10
bn tǵh 312 : 7
bn tqy 147 : 5
bn trn 300 : 10
bn ttn 400 : III : 3
bn ṯbil 10 : 6
bn ṯbǵl 146 : 9

bn ṯbrn 301 : II : 4
bn ṯbtnq 400 : I : 16
bn ṯgd 400 : VI : 27
bn ṯdṯb 301 : II : 12
bn ṯk 91 : 2
bn ṯlṯ 311 : 11; 321 : III : 5
bn ṯlln 321 : I : 16
bn ṯmyr 301 : II : 10
bn ṯmq 149 : 20; 152 : 8; 301 : IV : 3; 304 : 2
bn ṯmrn 400 : VI : 30
bn ṯʿ 152 : 11
bn ṯʿy 316 : 7; 400 : VI : 22
bn ṯʿl 321 : III : 17
bn ṯʿln 321 : II : 26
bn ṯġḏy 321 : IV : 4
bn ṯpdn 155 : 3; 300 : 21
bn ṯṣq– 80 : I : 4
bn ṯqdy 300 : rev : 17
bn ṯqrn 300 : 22
bn ṯrk 308 : 21
bn ṯṯy 309 : 23
bn ṯta?yy 300 : 27

bt

bt aḏmny 14 : 2
bt il 14 : 1
bt ḫzli 323 : III : 6
bt klb 323 : III : 6
bt ktmn 14 : 8
bt mrnn 323 : III : 13
bt ndbd 14 : 9
bt nqly 14 : 4
bt sgld 308 : 13
bt ssl 14 : 6
bt ʿlr 14 : 5
bt pdy 14 : 3
bt ṯrn 14 : 7
See possibly for others under *bn*, number 333

334 **bny**

abn 3 Aq : 40; ʿnt : III : 23
bn 51 : V : 80, 95; 129 : 8; ʿnt pl. x : V : 23
bnwn 126 : IV : 14
bnwt 49 : III : 5, 11; 51 : II : 11, III : 32; 2 Aq : I : 25
bny 49 : III : 5, 11; 51 : II : 11, III : 32; 2 Aq : I : 25
bnt 51 : VI : 36, VIII : 35
ybn 51 : IV : 62, V : 89; 1 Aq : 118, 119, 132, 133
tbn 51 : V : 115; 129 : 10
tbnn 51 : VI : 16

335 **bnš**

bnš 41 : 3; 92 : 3, 4, 6, 7, 8, 11; 93 : 6, 7, 8, 11; 100 : 5; 170 : 2, 3, 6, 10, 16, 18; 300 : rev : 20
bnšm 63 : 2, 4; 83 : 13, 15

336 **bs(a/n)** Gl.

337 **bʿd**

bʿd Gl.
bʿdh Gl.
bʿdy 167 : 1

338 **bʿdbʿlwn** Gl.

bʿym cf. *bn bʿym*

339 **bʿyn** cf. *bn bʿyn*

340 **bʿl** I

bʿl 1 : 7; 3 : 41; 6 : 30; 9 : 3, 6, 8; 14 : 2, 3, 4, 5, 6, 7, 8, 9; 17 : 4; 19 : 4; 49 : I : 21, II : 9, 30, IV : 27, 38, V : 1, VI : 10, 14, 17, 18, 20, 22, 33; 51 : II : 13, III : 17, IV : 19, 50, 62, V : 69, 88, VI : 2, 15, VII : 11, 12, 13, 24, 28, 30, 35, 40, 42, 53; frag. to restore VII : 53-8 : 3, 6; 62 : 1, 6, 7; 67 : I : 22, 26, IV : 6, VI : 8, 23, 25, 30; 68 : 13, 15, 21, 23, 27; 74 : 3; 75 : I : 33, 34, 38, 40, II : 5, 22, 32, 34, 54; 76 : II : 4, 16, 22, 23, 31, III : 8, 12, 14, 33, 34, 36; 77 : 26, 27, 42; 100 : 12; 123 : 7; 124 : 8; 126 : III : 5, IV : 8, 12; 127 : 56; 133 : rev : 5, 7; 136 : 7; 137 : 18, 21, 24, 35, 36; 321 : IV : 17; 328 : 4; 1 Aq : 43, 46, 108, 115, 119, 123, 128, 129, 132, 133, 137, 143, 149, 167; 2 Aq : I : 17, 32, II : 21, VI : 28, 30; Krt : 77, 170; ʿnt : I : 22, III : 34, 44, IV : 48, 50, 70, 83, V : 46, pl. vi : V : 11; cf. *ilbʿl*; *aliynbʿl* under *lʿy*; *amrbʿl*; *ḇn bʿl*; *brṯpṭbʿl*; *ḏmrbʿl*; *zblbʿl*; *ypʿbʿl*; *ytrhdbʿl*; *mddbʿl*; *mtbʿl*; *mtnbʿl*; *ʿbdbʿl*; *šmbʿl*; *ṯpṭbʿl*
bʿlugrt 107 : 10
bʿlh 15 : 2; 70 : 2; 118 : 12, 13, 26; 137 : 42

bʿly 150 : 3; 322 : I : 6; 323 : V : 4; 329 : 13; cf. *bn bʿly*
bʿlḫkpt 2 Aq : V : 20, 30
bʿlyskn 323 : III : 9
bʿlk ʿnt pl. x : IV : 6
bʿlkm 128 : IV : 28; 137 : 17, 33, 45
bʿlknp 9 : 6
bʿlm 1 : 9; 49 : V : 11; 68 : 9, 32, 36; 76 : II : 32; 165 : 1
bʿln 128 : V : 21; cf. *bn bʿln*
bʿlny 128 : V : 19, 20, 21
bʿlsip 329 : 2
bʿlṣpn 1 : 10; 9 : 14; 107 : 10 (?); 125 : 6, 7, 107
bʿlmrymṣpn 51 : V : 85; 67 : I : 10; ʿnt : IV : 81
bʿlṣrrtṣpn 49 : VI : 12, 13
bʿlt 1 : 21; 3 : 37; 33 : 7
bʿlṯrmn 62 : 57

341 **bʿl** II
ybʿl Gl.
bʿm cf. *bn bʿm*

342 **bʿr**
ybʿr Krt : 101, 190; ʿnt : IV : 70
šbʿr 51 : IV : 16
tbʿrn 125 : 80

343 **bǵy**
ibǵyh Gl.

344 **bǵrt** Gl.

345 **bṣql** Gl.

346 **bṣr**
bṣr 6 : 5
bṣry 64 : 6; 113 : 45; 327 : rev : 1
ybṣr 1 Aq : 33; 3 Aq : 20, 21

347 **bql** 26 : 6; 55 : 29

348 **bqʿ**
bqʿt 108 : 6; 110 : 8; 321 : II : 21
bqʿty 66 : 5
ibqʿ 1 Aq : 109, 124, 138
ybqʿ 1 Aq : 116, 130, 144
tbqʿnn 49 : II : 31
bqr cf. *qwr*

349 **bqš** cf. *bn bqš*

350 **bqṯ**
abqṯ Gl.

351 **br**
br 37 : 7; 319 : 2, 3, 6, rev : 1-9

352 **bri** cf. *bn bri*

353 **brd**
ybrd Gl.

354 **brdd** Gl.

355 **brḏl** Gl.

356 **brzn** cf. *bn brzn*

357 **brḫ** I Gl.

358 **brḥ** II Gl.

359 **brk** I
brk 128 : V : 11
brkm 128 : II : 18
brkn 74 : 2; 124 : 7
brkt 1 Aq : 194
ybrk 74 : 3; 128 : II : 18, 19; 2 Aq : I : 35
tbrk 128 : II : 14, III : 17
tbrkk 75 : I : 26
tbrkn 1 Aq : 194
tbrknn 2 Aq : I : 24

360 **brk** II
brkh 2 Aq : V : 27; 3 Aq : 24
brkm ʿnt : II : 13, 27
brkthm 137 : 23, 29
brktkm 137 : 25, 27

361 **brk** III
brky Gl.

362 **brlt**
brlt 67 : I : 15; 1 Aq : 88; 2 Aq : I : 38, V : 18, 24
brlth 127 : 12; 1 Aq : 93; 3 Aq : 25, 37

363 **bršm** cf. *bn bršm*

364 **brsn** cf. *bn brsn*

365 **brq**
brq 2 Aq : VI : 12; ʿnt : III : 23 cf. *bn brq*
brqm 51 : V : 71
brqn 306 : 5, 11

366 **brr** Gl.

367 **brt** Gl.

368 **br(t/q)** Gl.

369 **bš**
bštm ʿnt : IV : 77, pl. ix : III : 18; cf. *baš* above

370 **bši** Gl.

371 **bšr** I
bšr 128 : IV : 25, V : 8
bšrh 51 : II : 5; 77 : 9

372 **bšr** II
- *abšrkm* 1 Aq : 86
- *bšr* 76 : III : 34, 35
- *bšrt* 76 : III : 34
- *bšrtk* 51 : V : 89
- *tbšr* 51 : V : 88

373 **bt** cf. *byt, bn*

374 **btšbn** Gl.

375 **btlt**
- *btlt* 77 : 5
- *btltm* 2 Aq : VI : 34
- *btlt^{c}nt* 6 : 19; 49 : II : 14, III : 22, 23, IV : 30, 45; 51 : II : 14, 23, 24, 38, III : 24, 33, 39, IV : 18, V : 82, 87; 76 : I : 1, II : 10, 15, 21, 26, III : 3, 10; 128 : II : 27; 130 : 13; 132 : 4; 1 Aq : 5, 92; 2 Aq : VI : 25; 3 Aq : 5, 12, 16, rev : 14, 22; ʿnt : II : 32, III : 8, IV : 65, V : 37, pl. vi : V : 27

376 **btry** cf. *bn btry*

377 **bṯ**
- *bṯ* 68 : 28, 29
- *bṯt* 51 : III : 19, 21
- *ybṯ* 68 : 31

378 **bṯk-** Gl.

379 **bṯn**
- *bṯn* 67 : I : 1, 2; 1 Aq : 223; 2 Aq : VI : 14; ʿnt : III : 38
- *bṯn* or *dṯn* 37 : 5
- *bṯnm* 49 : VI : 19

380 **g**
- *gh* 49 : I : 11, II : 11, III : 17, 33, V : 11, VI : 13; 51 : II : 21, IV : 30, V : 88, VII : 22; 67 : IV : 5, VI : 22; 68 : 6; 76 : II : 19; 125 : 13, 98; 127 : 15, 40; 128 : III : 27; 129 : 15; 1 Aq : 117, 122, 131, 136, 148, 157, 164, 182; 2 Aq : II : 12; 3 Aq : rev : 23; ʿnt : III : 33
- *ghm* 67 : II : 17; Krt : 304
- *gy* 18 : 18
- *gm* 49 : I : 15, III : 22; 51 : II : 29, 47, VII : 52; 51 : frag. to restore VII : 53-8 : 5; 62 : 10; 128 : IV : 2; 1 Aq : 49; 2 Aq : V : 15; Krt : 237; ʿnt pl. x : IV : 2

381 **gan** Gl.

382 **gbztdmʿllay** Gl.

383 **gby** cf. *bn gby*

384 **gbl**
- *gbl* Gl.
- *gbln* Gl.

385 **gbʿ**
- *gb^{c}* 49 : II : 16; 67 : VI : 27; 321 : II : 10; ʿnt : III : 28
- *gb^{c}h* 133 : rev : 3
- *gb^{c}m* 51 : V : 78, 94, 101

386 **gbʿly**
- *gb^{c}ly* Gl.
- *gb^{c}lym* Gl.

387 **gbṯt** Gl.

388 **gg**
- *gg* 3 : 50; 24 : 13; 119 : 2
- *ggh* 2 Aq : I : 33
- *ggy* 2 Aq : II : 22
- *ggk* 2 Aq : II : 7
- *ggt* Krt : 80, 172

389 **ggn** cf. *gngn*

390 **gdy**
- *gd* 52 : 14 (?); 121 : I : 4 (?); cf. *gyd*
- *gdy* 144 : 4
- *gdm* ʿnt : II : 2

392 **gdl**
- *gdl* 3 : 26; 12 : 1, 7, 13; 48 : 3; cf. *bn kdgdl*
- *gdlm* 3 : 17; cf. *bn kdgdlm*
- *gdlt* 1 : 3, 5, 8, 13, 14, 15, 16, 19, 21 (?); 3 : 12, 30, 33, 34, 44, 46; 9 : 4, 5, 7, 9; 33 : 8; 42 : 8; 3 Aq : rev : 10; ʿnt pl. vi : V : 31
- *mgdl* 1 : 11; Krt : 73, 74, 166; 3 Aq : rev : 31; cf. *iltmgdl*; *mgdly*

393 **gdn** Gl.

394 **gdr**
- *gdrn* cf. *bn gdrn*
- *gdrt* Gl.

395 **g/ṣhl** Gl.

396 **gwl** Gl.

397 **gwr**
- *gr* Gl.

398 **gzl** 323 : III : 4; cf. *bn gzl*

399 **gzr**
- *agzrym* 52 : 23, 58, 61
- *agzrt* 6 : 29

gzry cf. *bn gzry*
400 **gyd**
gdm Gl.
401 **gyl**
ngln Gl.
402 **gyp**
gp Gl.
gpt Gl.
403 **gl** 6 : 33, 35; Krt : 71, 72, 164, 165
404 **glb** see *mglb*
405 **gld**
gld 323 : III : 5
gldy 146 : 17
406 **gly**
ygly ʿnt pl. ix : III : 23
tgl ʿnt pl. vi : V : 15
tgly 49 : I : 6; 51 : IV : 23; 127 : 4; 2 Aq : VI : 48
407 **glyn** cf. *bn glyn*
408 **glln** 146 : 19
409 **gln** Gl.
410 **glʿd** Gl.
411 **gl<u>t</u>** Gl.
412 **gm** Gl.
413 **gm<u>d</u>**
ygm<u>d</u> Gl.
414 **gmḥn** cf. *bn gmḥn*
415 **gml** Gl.
416 **gmm** Gl.
417 **gmn** 62 : 19, 21, 23
418 **gmr**
gmr 302 : 4
gmrd 300 : 14, 23, 24, rev : 17, 18
gmr . hd 137 : 46
gmrm 49 : VI : 16
419 **gmrš**– Gl.
420 **gmrt** cf. *bn gmrt*
421 **gnn** I
gn 62 : 4; 67 : VI : 21; 322 : V : 7
gny 305 : 12
gnym 309 : 13
422 **gnn** II
mgnm Gl.
423 **gnb** cf. *bn gnb*
424 **gngn**
ggnh 127 : 26
gngnh 51 : VII : 49
425 **gny(m)** see *gn* above
426 **gnʿy** Gl.
427 **gʿyn** cf. *bn gʿyn*
428 **gʿr**
gʿr cf. *bn gʿr*
ygʿr 56 : 23; 137 : 24
tgʿrm 68 : 28
429 **gʿt** Gl.
430 **gp** see *gyp* above
431 **gpn**
gpn 51 : IV : 7, 12; 52 : 9, 10, 11; 159 : 3
gpny 170 : 17; 1 Aq : 53
gpnm 51 : IV : 10
gpnwugr 51 : VII : 54, VIII : 47; 51 : frag. for VII : 53-8 : 6; 67 : I : 12; ʿnt : III : 33
432 **gprm** Gl.
433 **gr** I see *gwr*
434 **gr** II
gr Krt : 110
grnn Krt : 212
435 **gr**– Gl.
436 **grbn** cf. *bn grbn*
437 **grgs** cf. *bn grgs*
438 **grgr**
grgrh 125 : 48 (?)
tgrgr 52 : 66
439 **grgš** Gl.
440 **grdš** Gl.
441 **grn**
grn Gl.
grnt Gl.
grnm Gl.
442 **grp** Gl.
443 **grš**
grš 68 : 12; 2 Aq : I : 30, II : 3, 18
gršh ʿnt : IV : 46
gršm 126 : V : 12, 15, 21, 27
gršnn ʿnt pl. x : IV : 24
ygrš 68 : 12
tgrš 321 : II : 24; ʿnt : II : 15; cf. 44 : 6
444 **gt**
gt 19 : 18; 115 : 5; 144 : 4; 146 : 3, 4, 5, 6, 7, 8, 9, 10, 11, 12, 13, 14, 16, 18, 19, 20, 22; 148 : 1; 152 : 2; 153 : 7, 9; 169 : rev : 2; 170 : 2, 3, 6, 11, 16; 300 : rev : 13; 311 : 1, 11, 12; 334 : 6

445 **gtn** Gl.
446 **gtpbn/t** Gl.
447 **gṯprg** cf. *bn gṯprg*
448 **gṯr**
gṯr 5 : 11, 14; 18 : 14, 16, 20
gṯrm 5 : 9, 17
gṯrn cf. *bn gṯrn*
449 **d** I
d 3 : 20; 6 : 25; 13 : 6; 18 : 16; 49 : I : 21, III : 4, 10, 14; 51 : I : 36, 37, 39, 40, 44, II : 10, III : 9, 31, IV : 44, 48, 58, VII : 49, 51; 52 : 74; 54 : 17; 67 : I : 3, II : 12, 20, V : 2, VI : 12; 69 : 1; 70 : 1; 71 : 9; 75 : I : 3, II : 42; 76 : I : 3, 5, 11, II : 32, 33, III : 7; 77 : 38; 90 : 1; 93 : 11; 109 : 1; 118 : 25; 121 : I : 8, II : 10; 124 : 18; 126 : IV : 10, V : 23; 128 : II : 14, V : 26; 133 : 4; 137 : 18, 34; 138 : 7; 145 : 22, 23; 300 : rev : 13; 305 : 1; 306 : 1; 1 Aq : 152, 158, 166, 193, 205, 220; 2 Aq : I : 19, 30, 48, II : 19, V : 7, 18, 24, VI : 21; 3 Aq : rev : 15, 18, 31; Krt : 6, 8, 69, 83, 90, 91, 142, 145, 147, 150, 162, 174, 287, 291, 294, 296; ʿnt : III : 23, 39, IV : 62, 89, V : 41, VI : 23, pl. ix : III : 5, 22, pl. x : IV : 7, 13
dt 51 : I : 31, II : 20, IV : 6, 10, 11, VI : 37, 42; 67 : III : 7; 68 : 10; 124 : 13; 126 : V : 30; 146 : 2; 314 : rev : 10; 1 Aq : 53, 54; ʿnt : III : 32
dtm 51 : VI : 37; 129 : 12
450 **d** II
d (*bd*) 3 : 55; 18 : 20, 21; 51 : I : 25; 68 : 13, 15, 21, 23; 90 : 2; 116 : 2; 120 : 1; 125 : 5, 19, 104; 146 : 2; 300 : 2, 3, 4, 5, 6, 8, 9, 10, 11, 12, 13, 14, 15, 16, 17, 18, 19, 21, 22, 23, 24, 25, 26, 27, 28, 31; 300 : rev : 3, 6, 8, 10, 11, 14, 15, 17, 18, 19, 20, 23, 24, 26; 318 : 2; 1 Aq : 160; 2 Aq : V : 26; ʿnt : I : 19, pl. x : IV : 22
dh (*bdh*) 18 : 19; 52 : 8; 1 Aq : 217; ʿnt : I : 10
dy (*bdy*) 1 Aq : 216
dk (*bdk*) 51 : II : 32; 126 : V : 7
451 **dʾy**
di 126 : V : 49
diy 1 Aq : 115, 119, 123, 129, 133, 137, 143, 149; 3 Aq : 18, 28
diym 1 Aq : 33; 3 Aq : 21, 31
du 1 Aq : 120
tdu 1 Aq : 134
452 **dbat**
dbatk Gl.
453 **dbbm** (?) Gl.
454 **dbḥ**
dbḥ 19 : 13; 51 : III : 18, 19, 20; 52 : 27; 121 : I : 10; 125 : 39, 40, 61; 128 : VI : 5; 144 : 7; 1 Aq : 185, 191; Krt : 71, 76, 160, 163, 168; ʿnt pl. x : IV : 28
dbḥh Krt : 170
dbḥk Krt : 78
dbḥm 1 : 17; 2 : 15, 24; 51 : III : 17; 73 : rev : 5
dbḥn 2 : 24, 32
mdbḥ 3 : 41
mdbḥt 1 : 20; 3 : 24, 38; 6 : 16
ndbḥ 2 : 24, 33
tdbḥn 121 : I : 1
455 **dbṭ**– Gl.
456 **dblt** Gl.
457 **dbnn** cf. *bn dbnn*
458 **dbr**
dbr 49 : II : 20; 67 : V : 18, VI : 5, 8 (?), 29
dbrh 71 : 7, 8 (?)
mdbr 52 : 4, 65, 68; Krt : 105, 194; cf. *mlbr* under *lbr*.
mdbrqdš 52 : 65
tdbr 127 : 31, 43
459 **dg**
dg 52 : 63; 1 Aq : 203
dgy 51 : II : 31; ʿnt : VI : 10
460 **dgg**
mdgt Gl.
461 **dgn** 9 : 3; 17 : 16; 19 : 5; 69 : 2; 70 : 2; 76 : III : 35; 77 : 14; 126 : III : 13; cf. *ildgn*; *bn dgn*
462 **dd** I
dd 3 : 44; 12 : 1, 7, 13; 15 : 3; 171 : 5, 7, 8, 9, 10, 11, 12; 309 : 1, 2, 3, 4, 6, 7, 31, 33, 34
ddy 1 Aq : 77

ddm 97 : 18; 171 : 1, 2, 3, 4, 6
ddt 335 : 4
463 **dd** II
dd 51 : VI : 12; ʿnt : III : 2, 4
ddh 77 : 23
464 **ddym** ʿnt : III : 12, IV : 53, 68, 73
465 **ddmy** Gl.
466 **ddmš** Gl.
467 **dw**
dw Gl.
mdw Gl.
dwṯ
dṯ Gl.
ydṯ Gl.
470 **dḫnp** 65 : rev : 2
–dy 147 : 9
471 **dyn**
dn 75 : II : 59; 127 : 33, 46; 128 : I : 3; 2 Aq : V : 8; cf. *bn tbdn*
dnil 121 : II : 7; 314 : 12; 1 Aq : 19, 36, 38, 47, 90, 171, 174, 179; 2 Aq : I : 7, 10, 13, 18, 37, II : 8, 24, 25, 27, 43, V : 4, 13, 26, 33; 3 Aq : 19, 30
dnty 2 Aq : V : 16, 22, 28
ydn 1 Aq : 23; 2 Aq : V : 7
ydnh 1 Aq : 68
tdn 127 : 33, 45
472 **dk**
dk 67 : III : 8
tdkn 56 : 35
473 **dkym** Gl.
dkrm 5 : 19
474 **dkrt** Gl.
475 **dl** see *dll* I, *dlt*
476 **dly** Gl.
477 **dll** I
dl Gl.
478 **dll** II Gl.
479 **dll** III
dl 93 : 15; cf. *bn dll*
480 **dlp**
ydlp Gl.
481 **dlq** cf. *bn dlq*
482 **dlt**
dlt 142 : 5
dlthm 52 : 25
483 **dm** I
dm 9 : 1; 51 : I : 33, III : 44, IV : 38; 131 : 9; 3 Aq : 24; ʿnt : II : 14, 27, 31, 34
dmh 3 Aq : 35
dmy 77 : 9
dmm ʿnt : pl. vi : V : 10
484 **dm** II
dm 67 : III : 9, 18, 25; 2 Aq : VI : 34; Krt : 114, 218; ʿnt : III : 17, pl. ix : III : 12
dm–dm Gl.
485 **dmgy** Gl.
486 **dmm** I
tdm Gl.
487 **dmm** II
tdmm Gl.
488 **dmʿ**
udmʿt 8 : 11; 62 : 10 125 : 28
udmʿth Krt : 28
dmʿ 1 Aq : 82; Krt : 61
dmʿh Krt : 32
ydmʿ 1 Aq : 174, 178; Krt : 27, 40
tdmʿ 77 : 43; 1 Aq : 35
490 **dmq**
dmqt Gl.
491 **dmrn** Gl.
492 **dmt**
dmt Gl.
dmty cf. *brdmty*
dmtn cf. *bn dmtn*
493 **dn**
dn 151 : 7; 152 : rev : 7 (?)
dnhm 126 : III : 14
494 **dng–** Gl.
495 **dnn** Gl.
496 **dnt** Gl.
498 **dʿ**
dʿt 127 : 10
dʿthm 137 : 32
dʿtkm 137 : 16
tdʿ ʿnt : III : 31
499 **dʿṣ**
tdʿṣ Gl.
500 **dǵṯ** Gl.
501 **dpr**
dpr Gl.
dprk Gl.

502 **dprn** Gl.
503 **dqn**
dqn 62 : 3; 64 : 37; 67 : VI : 19; 305 : 3; 308 : 17
dqnh ʿnt pl. vi : V : 10
dqnk 51 : V : 66; ʿnt pl. vi : V : 33
504 **dqq**
dq 44 : 7; 49 : I : 22; 98 : 3
dqt 1 : 1, 3, 4, 15, 16; 3 : 13, 28, 42; 9 : 4, 7; 42 : 9; 51 : I : 42
dqtm 1 : 4, 18; 3 : 32
505 **dqry** Gl.
506 **dr**
dr 1 : 7; 2 : 17, 25, 34; 5 : 6; 5 : 6; 107 : 2; 128 : III : 19; 148 : 3; cf. *bn pndr*
drdr Gl.
drdrk 68 : 10
507 **dr** Gl.
508 **drd** Gl.
509 **dry**
dry 49 : V : 13
tdry 49 : II : 32
510 **drkt**
drkt 51 : VII : 44; 68 : 10; 127 : 24; Krt : 42
drkth 49 : V : 6, VI : 35; 68 : 13, 20; ʿnt : IV : 47, pl. x : IV : 25
drktk 127 : 38, 53
511 **drm** Gl.
512 **drʿ**
drʿ 49 : V : 19; 56 : 25
mdrʿ 52 : 69, 73
tdrʿnn 49 : II : 35
513 **drq**
tdrq Gl.
514 **drš**
tdrš Gl.
515 **drt** cf. *bn drt*
dšq 145 : 13 (?)
516 **dtn** 128 : III : 4, 15; cf. *bn dtn*
517 **dtq** see *yqy*
518 **dṯ** see *dwṯ*
519 **dṯn** (or *bṯn* in 37?) 37 : 5; 107 : 15
520 **dṯt** Gl.
521 **ḏ** I Gl.
522 **ḏ** II Gl.
523 **ḏbb** Gl.
524 **ḏbl** Gl.
525 **ḏd** I
ḏd 49 : I : 6; 51 : IV : 23; 129 : 5; 2 Aq : VI : 48; ʿnt pl. vi : V : 15, pl. ix : III : 23
ḏdk 1 Aq : 213
ḏdm 1 Aq : 220; 3 Aq : 15; ʿnt pl. vi : V : 17
526 **ḏd** II Gl.
ḏdn 162 : 2
527 **ḏhrt**
ḏhrt cf. *ḏrt*
ḏhrth Krt : 36
528 **ḏmn** Gl.
529 **ḏmr**
ḏmr 130 : 9; 2 Aq : I : 29, 47, II : 2, 17; ʿnt : II : 14, 28, 31, 34
ḏmrbʿl 322 : II : 5
ḏmrhd 322 : VI : 7
ḏpid 77 : 45; cf. also *dpid*
530 **ḏr** 6 : 8; cf. *annḏr*; *abḏr*
531 **ḏrʿ**
ḏrʿh Gl.
532 **ḏrqm** Gl.
533 **ḏrt**
ḏrt Gl.
ḏrty Gl.
534 **h** Gl.
537 **hb** Gl.
538 **hbṭ**
yhbṭ Gl.
hbqʿt 77 : 48
539 **hbr**
hbr 51 : VIII : 27; ʿnt : III : 6, VI : 19, pl. ix : III : 3
yhbr 52 : 49, 55
š?hbr 137 : 47
thbr 49 : I : 9; 51 : IV : 25; 2 Aq : VI : 50
540 **hg** Gl.
541 **hd**
hd 51 : VI : 39, VII : 36, 38; 67 : II : 22, IV : 7; 75 : II : 55; 76 : II : 33; 133 : rev : 11; ʿnt pl. x : V : 17; cf. *ilhd*; *gmrhd*; *ḏmrhd*
hdd 133 : rev : 6
542 **hdy**
yhdy 67 : VI : 19
thdy 62 : 3

543 hdm
hdm 49 : I : 32, III : 15; 51 : I : 35, IV : 29; 67 : VI : 13; 2 Aq : II : 11
hdmm ʿnt : II : 22, 37
544 hdrt Gl.
545 hw 2 : 16, 24, 25, 33; 13 : 6, 10; 49 : II : 23; 52 : 70; 75 : II : 41; 137 : 37; 2 Aq : I : 39
546 hwil Gl.
547 hwt I 18 : 15; 51 : III : 36, VIII : 29; 1 Aq : 15, 129, 133, 224; 2 Aq : VI : 53; 3 Aq : 13; ʿnt : VI : 20
548 hwt II
hwt 49 : IV : 35; 67 : I : 13, II : 10, 18; Krt : 306; ʿnt : III : 10, 19, IV : 51, 57; ʿnt pl. ix : III : 6, 13
hwth 68 : 6; 1 Aq : 113, 128, 142
hwty 51 : VI : 15, VII : 25
549 hzp
hzp 112 : 7; 113 : 55
hzpy 327 : rev : 6
hzpym 328 : 8
550 hy Gl.
551 hyabn Gl.
552 hyn 51 : I : 24; 2 Aq : V : 18, 24, 32; ʿnt : VI : 22, 23
553 hyt Gl.
554 hkl
hkl 33 : 9; 51 : V : 119; 127 : 25; 129 : 7, 21; 136 : rev : 1
hklh 51 : V : 99, VI : 17, 40, 45; 76 : II : 2, 5; 1 Aq : 171, 172; 2 Aq : I : 27, 44, II : 25, V : 39; ʿnt : II : 18
hkly 51 : VI : 37; 121 : II : 1; 122 : 3, 8; 123 : 2, 10; 1 Aq : 183
hklk 51 : V : 76, 93
hklm 51 : V : 114, 116, 124, 127, VI : 6, 9, 23, 26, 28, 31, 33, VII : 18, 27
555 hl
hl 52 : 44, 47; 77 : 7; 2 Aq : V : 12
hlh 52 : 32, 33; 2 Aq : II : 41
hlk 2 Aq : V : 12; Krt : 180; cf. *hlk* below
hln ʿnt : II : 5, 17
hlny 101 : 3; 117 : 9; 118 : 18
556 hlhd 321 : I : 7, III : 33; cf. *ilhd*
557 hlk
alk 122 : 6; 1 Aq : 194
alkn 1 Aq : 195
ašhlk 3 Aq : rev : 11; ʿnt pl. vi : V : 32
itlk 49 : II : 15
hlk 51 : II : 13, 14; 64 : 2; 1 Aq : 52, 56 77, 200; 2 Aq : V : 10; Krt : 92, 94, 182; ʿnt : IV : 83; cf. *hl* above
hlkm 52 : 27
hlkt 8 : 5
ylk 5 : 23, 24, 25; Krt : 207
ylkn ʿnt pl. x : IV : 7
ytlk 75 : I : 34; 51 : VI : 18 (?)
lk 6 : 4; 122 : 1, 9; 123 : 3, 8; 125 : 43, 68; 127 : 27; 3 Aq : 17; Krt : 106; ʿnt : IV : 76
lkt 76 : II : 28, 29
tlk 49 : III : 7, 13; 76 : III : 18; 128 : III : 6; 3 Aq : rev : 27
tlkm 52 : 16
tlkn 121 : II : 5; Krt : 194
ttlk 67 : VI : 26
ttlkn 52 : 67
558 hlku Gl.
559 hll 77 : 6, 15, 41, 42; 2 Aq : II : 27, 31, 33, 36, 38, 40
560 hlm I
hlm 68 : 14, 21; 1 Aq : 78
hlmn 3 Aq : 22, 33
ylm 68 : 16, 24
561 hlm II Gl.
562 hlm III 51 : IV : 27; 125 : 53; 137 : 21; ʿnt : III : 29
563 hm I 13 : 5; 13 : rev : 3; 26 : 8; 49 : III : 3; 51 : II : 24, III : 31, IV : 34, 35, 38, 61, V : 73; 52 : 39, 42, 72; 54 : 5; 67 : I : 15, 16, 21; 1 Aq : 110, 125, 139, 150; Krt : 42, 203
565 hm II 5 : 26; 51 : I : 38; 52 : 5, 25, 49, 50, 55, 62, 64, 68, 69, 70, 71, 73; 67 : I : 20, II : 17; 68 : 2, 11, 18; 75 : I : 5, 30, 33, 40, II : 25; 76 : II : 23; 121 : II : 4; 123 : 16, 24; 126 : III : 14, 15; 128 : I : 6, III : 18, 19, 23, 25, VI : 7; 133 : rev : 4, 5; 137 : 13, 22, 23, 24, 29, 32, 33; 400 : I : 8, II : 11, 22, 23; 1 Aq : 84, 116; 3 Aq : rev : 9; Krt :

95, 183, 304; ʿnt pl. vi : V : 10, pl. x : IV : 26

567 **hmlt** 49 : II : 18; 51 : VII : 52; 62 : 7; 67 : VI : 24; 137 : 18; ʿnt : III : 25; cf. 49 : V : 25; 51 : I : 8

568 **hmm**
nhmmt Gl.

569 **hmr**
hmry Gl.
mhmrt Gl.

570 **hmt** 68 : 36; 1 Aq : 115, 119, 150; 2 Aq : V : 20, 30

571 **hn** I and II
hn 2 : 26, 35; 49 : VI : 10, 37; 51 : VI : 24; 52 : 46, 50, 55; 62 : 47; 67 : I : 18; 76 : II : 4; 77 : 45; 124 : 2, 3, 17, 21; 127 : 21; 1 Aq : side; 2 Aq : I : 6, II : 28, 32, V : 3, 38; Krt : 20, 24, 118; cf. *wn*
hnny 95 : 10

573 **hn** III 77 : 46, 47; 128 : III : 16
hn IV 52 : 75

574 **hnbb** Gl.

575 **hpk**
ahpkk 67 : III : 12
hpk 6 : 35
yhpk 49 : VI : 28

576 **hr** Gl.

577 **hrg** Gl.

578 **hrgb** 1 Aq : 121, 122, 128, 132, 133

579 **hry**
hr 51 : II : 36; 52 : 51, 56
hrh 6 : 31
hry 132 : 5
thrn 67 : V : 22

580 **hrnmy** 121 : II : 8; 1 Aq : 37, 48, 186, 193; 2 Aq : I : 19, 37, 38, II : 29, V : 5, 15, 35

581 **hrr**
yhrrm Gl.

582 **ht** 13 : rev : 5; 18 : 17; 49 : I : 11; 54 : 8; 68 : 8, 9; 122 : 6; 138 : 10; 1 Aq : 167; 2 Aq : VI : 40

583 **w** 1 : 3, 4, 5, 6, 7, 8, 9, 12, 19, 20; 2 : 4, 18, 19, 20, 24, 27, 32; 3 : 5, 6, 11, 13, 22, 25, 29, 31, 39, 42, 44, 47, 48, 53, 54, 55; 5 : 6, 11, 12, 15, 16; 6 : 8, 9, 16, 20, 22, 23; 9 : 1, 2, 4, 7, 8, 9, 12, 14, 15; 10 : 2, 4; 12 : 2; 13 : 2, 5, 6, 7, 10, 11, 12, rev : 6; 15 : 2, 12; 18 : 18, 19, 21; 21 : 3; 22 : 8; 23 : 7, 8, 9, 10, 11; 26 : 7, 9, 10; 32 : 6; 33 : 5, 6, 7; 48 : 5; 49 : I : 7, 9, 10, 11, 12, 19, 21, 25, 33, 37, II : 2, 11, 13, 15, III : 2, 3, 8, 16, 17, 18, 19, IV : 33, 41, 44, 45, V : 9, 11, 20, 26, VI : 13; 51 : I : 30, II : 12, 21, 27, 40, III : 7, 8, 12, 13, 19, 20, 22, 27, 32, IV : 3, 8, 13, 19, 23, 25, 26, 28, 29, 30, 33, 34, 40, 44, 49, 50, 51, 58, V : 63, 64, 68, 70, 80, 83, 88, 90, 95, 96, 103, 104, 106, 108, 109, 111, 113, 120, 125, VI : 1, 3, 7, 13, 14, 15, 18, 20, 24, 40, 41, 56, VII : 14, 19, 20, 21, 22, 37, 51, 53, frag. to restore VII : 53-8 : 3, 4, VIII : 7, 14, 27, 28, 29; 52 : 2, 5, 6, 7, 8, 12, 13, 15, 16, 18, 26, 28, 30, 33, 35, 42, 45, 46, 48, 49, 51, 52, 53, 54, 56, 58, 62, 63, 64, 66, 68, 69, 70, 71, 72, 73, 76; 54 : 6, 11, 16, 18; 55 : 3, 4, 5, 6, 7, 9, 27, 28, 29; 56 : 6, 7, 11, 14, 15, 16, 20, 28, 29, 34, 35; 62 : 3, 17, 49, 50, 51, 52; 63 : 2, 4; 67 : I : 9, 11, 23, 24, 25, II : 5, 12, 13, 17, 20, 21, III : 13, 14, 20, 21, 27, IV : 2, 13, 19, V : 6, 14, 16, 22, VI : 13, 19, 22, 26; 68 : 3, 5, 6, 7, 11, 18, 23, 26, 27, 30, 31, 33, 35; 69 : 3; 75 : I : 13, 19, 33, 34, 37, II : 35, 46, 50, 55, 62; 76 : II : 3, 7, 11, 13, 14, 15, 17, 18, 19, 20, 25, 26, 27, 28, 29, III : 4, 5, 11, 18, 22, 25, 26, 30, 31, 35, 36, 37; 77 : 1, 10, 19, 20, 23, 30, 31, 37, 38, 47; 80 : II : 1, 6; 87 : 7; 89 : 9; 95 : 4, 13; 96 : 12; 98 : 3, 6; 100 : 9; 101 : 4, 6, 7; 107 : 4, 5; 109 : 4, 5, 6, 8, 10; 111 : 1, 4; 113 : 15, 19, 49; 117 : 13, 16, 17; 118 : 9, 16, 21; 119 : 2, 6, 7, 8, 11, 16, 17, 18, 19, 20, 21, 22, 23, 25; 121 : I : 4, II : 5, 7; 122 : 8; 123 : 1; 124 : 9, 13, 21; 125 : 11, 13, 22, 24, 30, 37, 38, 45, 50, 75, 78, 83, 87, 93, 97; 126 : III : 2, 6, 8, IV : 5, 9, 10, 13,

V : 4, 23, 26; 127 : 2, 4, 10, 14, 16, 18, 20, 21, 22, 26, 28, 30, 31, 41, 42, 44, 54, 58; 128 : I : 8, II : 5, 10, 24, III : 5, 20, 21, 25, 26, 27, IV : 23, V : 15, 20, 21, VI : 3; 129 : 5, 6, 7, 11, 13, 15, 18, 24; 130 : 4, 19, 21; 132 : 1, 2, 5; 133 : rev : 11, 12; 134 : 5, 7, 9; 136 : 2; 137 : 16, 23, 25, 28, 35, 38, 42; 138 : 10, 14, 15, 17; 143 : B : 1; 145 : 7, 8, 9, 10, 16, 17, 18, 19, 20, 21, 22, 23; 153 : 1, 6; 172 : rev : 3; 303 : 3, 4, 10; 306 : 15; 309 : 5, 8, 11, 12, 14, 16, 20, 22, 25, 27, 28; 314 : 2, 3, 4, 14, 15, 16, 17; 321 : I : 2, 4, 5, 8, 9, 12, 26, 27, 29, 30, 31, II : 5, 6, 7, 9, 10, 14, 15, 16, 17, 18, 19, 22, 23, 24, 25, 28, 38, 41, 42, 43, 45, 46, 47; 321 : III : 2, 3, 4, 5, 6, 8, 10, 11, 12, 13, 14, 15, 16, 18, 20, 21, 22, 23, 25, 26, 28, 29, 33, 34, 35, 36, 39, 40, 41, 44, 45, 46, IV : 1, 4, 7, 8, 9, 12, 13, 16, 17; 329 : 6, 9, 12, 19; 334 : 4; 400 : I : 4, 7, 8, 11, II : 10, 11, 17, 21, 22, 23, III : 18, VI : 23, 24; 1 Aq : 9, 11, 17, 29, 64, 71, 76, 78, 82, 97, 107, 109, 111, 116, 118, 120, 122, 124, 125, 126, 129, 130, 132, 134, 135, 136, 139, 140, 144, 145, 146, 148, 157, 165, 168, side, 180, 181, 182, 184, 190, 197, 204, 208, 214, 215, 217, 218; 2 Aq : I : 5, 15, 20, 21, 26, 43, II : 9, 10, 12, 13, 30, 32, 33, 35, 38, V : 3, 9, 11, 18, 23, 26, VI : 7, 10, 16, 17, 18, 20, 24, 25, 27, 28, 31, 33, 38, 41, 42, 46, 50, 53; 3 Aq : 7, 11, 15, 16, 19, 39, 40, rev : 6, 12, 13, 14, 15, 16, 17, 22, 23, 24; Krt : 14, 24, 25, 27, 31, 34, 35, 37, 62, 74, 79, 85, 87, 93, 100, 106, 108, 109, 110, 114, 118, 119, 123, 126, 127, 131, 134, 135, 138, 139, 152, 153, 154, 155, 156, 166, 176, 181, 189, 191, 195, 198, 202, 206, 207, 211, 215, 216, 218, 222, 271, 276, 281, 283, 284, 299, 304; ʿnt : I : 5, 9, 18, II : 3, 4, 5, 17, 19, 23, 24, 38, III : 6, 7, 8, 18, 19, 20, 24, 25, 33, 43, IV : 57, 58, 65, 77, 85, 86, V : 37, 45, 46, VI : 19, 20, 21, 22, pl. vi : IV : 6, 8, pl. vi : V : 15, 27, pl. ix : II : 3, III : 3, 4, 13, 16, 17, 18, pl. x : IV : 13, 15, 26, V : 12, 15

584 **wzn**
mzn 5 : 5
mznm 77 : 34, 35, 37

585 **wld** 128 : III : 20, 21; 75 : I : 27; Krt : 152, 298

586 **wn** 51 : IV : 50; 75 : I : 36; 77 : 31; 93 : 9; 129 : 22; 315 : 4; ʿnt pl. vi : V : 46

587 **wnr** Gl.

588 **wsr**
ywsrnn Gl.

589 **wpṯ**
wpṯm 51 : VI : 13
ywpṯn 51 : III : 13

591 **wry** Gl.

592 **wtḥ**
twtḥ ʿnt : III : 17, IV : 56, pl. ix : III : 11

594 **zbl** I
zbl 6 : 26; 49 : I : 14, III : 3, 9, 21, IV : 29, 40; 67 : VI : 10; 68 : 7, 8, 14, 16, 22, 24, 29; 124 : 10; 128 : II : 4, 6; 129 : 8, 16, 23; 133 : rev : 10; 137 : 38, 43; 323 : III : 13; 1 Aq : 164; ʿnt : I : 3
zblbʿl 68 : 8; 133 : rev : 10; 137 : 38, 43
zblbʿlarṣ 49 : I : 14, 15, III : 3, 9, 21, IV : 29, 40; 67 : VI : 10; ʿnt : I : 3
zblhm 137 : 24, 29
zblym 68 : 7, 14, 16, 22, 25; 129 : 8, 16, 23
zblkm 126 : V : 25; 137 : 25, 28

595 **zbl** II
zbl Krt : 98, 186
zbln 126 : V : 21, 28; 127 : 9, 36, 52
zblnm Krt : 17

596 **zbr**
yzbrnn 52 : 9
zbrm 52 : 9

597 **zd** I 52 : 20, 24, 59

598 **zd** II
tzdn– Gl.

599 **zyt**
zt Gl.

600 **zlyy** Gl.

601 **zmr**
azmr Gl.

602 **znan** cf. *bn znan*
603 **znw/y(?)**
zntn Gl.
604 **zǵ**
zǵt Gl.
tzǵ Gl.
605 **zry** cf. *bn zry*
607 **ztr** 2 Aq : I : 28, II : 17
608 **ḥbl** Gl.
ḥbn cf. *bn ilḥbn*
609 **ḥbq**
ḥbq 52 : 51, 56
ḥbqh 2 Aq : I : 41
yḥbq 51 : IV : 13
tḥbq 76 : III : 23, 24
610 **ḥbr**
ḥbrh 52 : 76
ḥbrk 62 : 48
611 **ḥbš**
ḥbš Gl.
ḥbšh 3 Aq : 28; ʿnt : II : 13
ḥbšk 6 : 6
612 **ḥgb**
ḥgb cf. *ʿbdḥgb*
ḥgby cf. *bn ḥgby*
ḥgbn cf. *bn ḥgbn*
ḥgbt 309 : 28
613 **ḥgr**
tḥgrn Gl.
614 **ḥdg**
ḥdgk Gl.
615 **ḥdy**
aḥd 49 : V : 22; 1 Aq : 110, 125, 139
yḥd 1 Aq : 121, 130, 135, 144
tḥdy ʿnt : II : 24
ḥdyn 331 : 7
616 **ḥdr**
ḥdrh Krt : 26
ḥdrm ʿnt pl. vi : V : 19, 34
617 **ḥdṯ**
ḥdṯ 3 : 48; 143 : A : 1; Krt : 101, 189
ḥdṯm 3 : 53
ḥdṯn Gl.
yḥdṯ 3 Aq : 9
618 **ḥḏr**
ḥḏrt 55 : 11; 56 : 15
619 **ḥwy**
yštḥwy 129 : 6; ʿnt pl. ix : III : 25
yštḥwyn ʿnt pl. ix : II : 16
tštḥwy 49 : I : 10; 51 : IV : 26, VII : 28; 137 : 15, 31; 2 Aq : VI : 50; ʿnt : III : 7, VI : 19, 20
620 **ḥwš**
ḥš 51 : V : 113, 114, 115, 116; ʿnt pl. x : IV : 7; see *ḥš* II
621 **ḥṭt** see *ḥnṭ*
622 **ḥṭb**
ḥṭb Krt : 214
ḥṭbh Krt : 112
623 **ḥẓ** I
aḥẓ- 49 : V : 23
ḥẓt Gl.
ḥẓ II
ḥẓk Krt : 116
624 **ḥẓr**
ḥẓr 6 : 21; 51 : IV : 51, V : 63, 90, VII : frag. to restore VII : 53-8 : 4; 129 : 19; Krt : 280; ʿnt : V : 47, pl. ix : II : 14
ḥẓrh 1 Aq : 172
ḥẓry 1 Aq : 184; Krt : 133, 205
ḥẓrk 128 : II : 23
625 **ḥyy/w**
aḥw 1 Aq : 16
aḥwy 2 Aq : VI : 32, 3 Aq : 27
ḥwy 2 Aq : VI : 30
ḥwt 51 : I : 43; 76 : II : 20
ḥy 49 : III : 2, 8, 20; cf. *bn abdḥy*
ḥyk 125 : 14, 98
ḥym 2 Aq : VI : 26, 27
ḥyt 51 : IV : 42; ʿnt : V : 39
yḥ 26 : 9; 75 : I : 35; 125 : 23, 106; 2 Aq : I : 37
yḥwy 2 Aq : VI : 30
626 **ḥyl**
ḥyly Gl.
627 **ḥyn** cf. *bn ḥyn*
628 **ḥkm**
ḥkm 51 : IV : 41; ʿnt : V : 38
ḥkmk ʿnt : V : 38
ḥkmt 51 : IV : 41, V : 65; 126 : IV : 3
629 **ḥkpt**
ḥkpt 2 Aq : V : 21, 31; ʿnt pl. vi : VI : 15, pl. ix : III : 19
ḥqkpt ʿnt : VI : 13

630 **ḥl**
ḥl 9 : 9; 113 : 40; 125 : 8, 109
ḥlm 125 : 7, 8, 107
631 **ḥlb** 52 : 11, 12, 14; 128 : II : 26
632 **ḥlym** Gl.
633 **ḥll**
ḥln Gl.
634 **ḥlm**
ḥlm 49 : III : 4, 10; Krt : 154
ḥlmh Krt : 35
ḥlmy Krt : 150, 296
636 **ḥlq**
ḥlqm Gl.
637 **ḥm**
ḥmthm Gl.
638 **ḥmm**
ḥm Gl.
639 **ḥmd**
ḥmdm 75 : I : 38, II : 9
yḥmdm 75 : I : 38
lḥmd 51 : V : 101
mḥmd 51 : V : 78, 94, VI : 19, 21
640 **ḥmdrt** Gl.
641 **ḥmḥh** Gl.
642 **ḥmḥmt** Gl.
643 **ḥmy**
ḥmyt 2 : 28
ḥmt Krt : 75, 167
644 **ḥmny** cf. *bn ḥmny*
645 **–ḥmṣ** Gl.
646 **ḥmr**
ḥmr 12 : 12, 18; 63 : 2, 4; 67 : I : 19; 87 : 1-6, 7
ḥmrh Krt : 121, 225
–ḥmrm 62 : 28
647 **ḥnṭ**
ḥtt Gl.
648 **ḥnn**
ḥnn– 323 : IV : 5
ḥnnil 107 : 6
ḥnth 2 Aq : I : 17
yḥnnn 76 : I : 12
649 **ḥsn** Gl.
650 **ḥsp**
ḥspt 1 Aq : 51, 55, 199
tḥspn ʿnt : IV : 86, II : 38
651 **ḥʿ**
ḥᶜm Gl.
652 **ḥpn**
yḥpn 123 : 12; 124 : 9
ḥpnk 127 : 58
653 **ḥpšt** Gl.
654 **ḥṣbn** cf. *bn ḥṣbn*
655 **ḥṣn** cf. *bn ḥṣn*
ḥqkpt cf. *ḥkpt*
656 **ḥr** 146 : 8; cf. *abdḥr; atnbḥr; bn ḥr*
657 **ḥrb**
ḥrb Gl.
ḥrbm 68 : 4
658 **ḥrḥr**
–ḥrḥrtm Gl.
659 **ḥrẓn** cf. *bn ḥrẓn*
660 **ḥry** 127 : 17, 19; 128 : III : 24, IV : 26, V : 9, VI : 3; Krt : 143, 203, 289
661 **ḥrm** cf. *bn ḥrm*
662 **ḥrn** Gl.
663 **ḥrnqm** Gl.
665 **ḥrṣ**
ḥrṣ 1 Aq : 8; 2 Aq : VI : 37
tštḥrṣ 1 Aq : 10
667 **ḥrr**
ḥrr 67 : II : 5; 75 : II : 41
yḥr 75 : II : 38
tḥrr 52 : 41, 44, 48
668 **ḥrš**
iḥtrš 126 : V : 26
ḥrš 75 : II : 62; 80 : I : 16; 81 : 6; 114 : 8, 9, 10; 170 : 1; 308 : 6, 8, 9; 2 Aq : V : 19, 24; ʿnt : VI : 23, pl. ix : III : 5; cf. *yšnḥrš*
ḥršm 1 Aq : 222
ḥrṯ
ḥrṯ Krt : 122, 226
ḥrṯm 126 : III : 12; 304 : 1
yḥrṯ 67 : VI : 20; 124 : 20
mḥrṯh 49 : IV : 38
mḥrṯt 49 : IV : 27
tḥrṯ 62 : 4
669 **ḥš** I cf. *ḥwš*
670 **ḥš** II
ḥš ʿnt pl. ix : III : 27
ḥšk ʿnt : III : 15, IV : 55, pl. ix : II : 21, pl. ix : III : 10
671 **ḥšn–** Gl.

672 **ḥtk** I
ḥtk 76 : III : 35
ḥtkh Krt : 21, 22
ḥtkk 49 : IV : 35; ʿnt pl. ix : II : 18
ḥtkn Krt : 10
673 **ḥtk** II
tḥtk 62 : 45, 46
674 **ḥtl**
ḥtlk Gl.
675 **ḥtṯ** Gl.
676 **ḫbb** Gl.
677 **ḫbd**
ḫbd Gl.
ḫbdn Gl.
678 **ḫby** Gl.
679 **ḫblṯtm** Gl.
680 **ḫbr** 128 : IV : 8, 9, 19, 20, V : 25; Krt : 82, 173
681 **ḫbrtnr** Gl.
682 **ḫbrṯ** Gl.
683 **ḫbt** I
ḫbtkm 2 : 22
ḫbtkn 2 : 13
684 **ḫbt** II Gl.
685 **ḫbt** III
ḫbt Gl.
ḫbty Gl.
686 **ḫdi** cf. *bn ḫdi*
687 **ḫdw**
ḫd 3 Aq : rev : 18
tḫdhm 3 Aq : rev : 9; ʿnt pl. vi : V : 30
688 **ḫdyn** cf. *bn ḫdyn*
689 **ḫdmn** cf. *bn ḫdmn*
690 **ḫdpṯr** cf. *bn ḫdpṯr*
691 **ḫdḏ** Gl.
692 **ḫḏmrd** Gl.
693 **ḫḏnr-** Gl.
694 **ḫḏt** Gl.
695 **ḫzli** cf. *btḫzli*
696 **ḫzrn** cf. *bn ḫzrn*
697 **ḫḫ**
ḫḫ Gl.
ḫḫm Gl.
698 **ḫṭ** I
ḫṭ 49 : VI : 29; 52 : 8, 9; 129 : 18
ḫṭh 52 : 37; 1 Aq : 14
ḫṭk 52 : 40, 43, 47
ḫṭm 127 : 8
699 **ḫṭ** II
yḫṭ Gl.
700 **ḫṭʾ**
utḫṭin 2 : 11, 14, 15
tšḫṭann 1 Aq : 151
701 **ḫyl**
ḫl 75 : I : 25; 76 : II : 29
702 **ḫym** I
ḫmt Gl.
703 **ḫym** II Gl.
704 **ḫyr** Gl.
705 **ḫyrn** cf. *bn ḫyrn*
706 **ḫluy** Gl.
708 **ḫlb**
ḫlb 51 : VIII : 6; 67 : V : 14
ḫlbym cf. *bn ḫlbym*
ḫlbkrd 110 : 2; 113 : 3; 161 : 1
ḫlbʿprm 110 : 1; 112 : 12
ḫlbṣpn 113 : 50
ḫlbrpš 108 : 5; 110 : 7; 162 : 1; 321 : II : 30
709 **ḫlp**
mḫlpt Gl.
710 **ḫlq** 49 : I : 14, III : 1; 67 : VI : 10; 3 Aq : 42
711 **ḫmat** 52 : 11, 14
712 **ḫmn** 305 : 5; cf. *ʿbdḫmn*
713 **ḫmr** Gl.
714 **ḫmš**
ḫmš 1 : 9; 3 : 38; 25 : 2, 3; 36 : 4; 51 : VI : 29; 52 : 57; 65 : 2, 7, 8, 10; 83 : 13; 84 : 6; 92 : 12; 93 : 10; 98 : 8; 109 : 4, 5, 6, 7, 8, 10; 116 : 5; 119 : 17; 124 : 22; 2 Aq : I : 12, II : 36; Krt : 83, 107, 115, 174, 220
ḫmšm 12 : 6, 12, 18; 92 : 15; 97 : 18; 120 : 9; 145 : 6, 14, 23
ḫmšt 145 : 1; 159 : 4, 5
yḫmš 126 : V : 17
mḫmšt Krt : 18, 30
715 **ḫmt** cf. *ḫym* I
716 **ḫndrṯ** Gl.
717 **ḫnzr**
ḫnzrk cf. *bn ḫnzr*; 67 : V : 9
718 **ḫnyn** cf. *bn ḫnyn*
719 **ḫnp**

ḫnp 3 Aq : rev : 17
ḫnpm 133 : rev : 8
nḫnpt 126 : IV : 15

720 **ḫnqn** cf. *bn ḫnqn*
721 **ḫswn** Gl.
722 **ḫsyn** Gl.
723 **ḫsn** cf. *bn ḫsn*; 144 : 2, 3, 5
724 **ḫss**
ḫss 51 : I : 25; 62 : 49; 2 Aq : V : 11; cf. *kṯr* for *kṯr–wḫss*
yḫssk 51 : IV : 39
tḫss 128 : III : 25
725 **ḫsp**
yḫsp Gl.
726 **ḫsr**
ḫsrt Gl.
727 **ḫp** Gl.
728 **ḫpšry** cf. *bn ḫpšry*
729 **ḫprt** Gl.
730 **ḫpty** Gl.
731 **ḫptr** Gl.
732 **ḫpṯ**
ḫpṯ 128 : I : 6; Krt : 90
ḫpṯt 51 : VIII : 7; 67 : V : 15
733 **ḫṣt**
ḫṣth Gl.
734 **ḫṣb**
tḫtṣb 131 : 6; ʿnt : II : 6, 20, 24, 30
735 **ḫr** 5 : 1, 5; 6 : 17; 98 : 4 (?); 128 : V : 22; 149 : 6; 328 : 12
736 **ḫrt** Gl.
737 **ḫran** cf. *bn ḫran*
ḫri cf. *bn ḫri*
738 **ḫrb**
yḫrb Gl.
740 **ḫrḫb** Gl.
741 **ḫrṭ**
yḫrṭ Gl.
ḫrẓʿ
ḫrẓʿh 75 : I : 41
ḫry 2 : 21, 29
ḫrmln cf. *bn ḫrmln*
742 **ḫrn** Gl.
743 **ḫrpn** Gl.
744 **ḫrṣ**
ḫrṣ 5 : 10, 13; 51 : I : 27, 28, 33, 38, II : 28, IV : 37, V : 78, 80, 95, 96, 101; VI : 34, 38; 67 : IV : 16; 77 : 20, 21; 96 : 3; 118 : 20, 27, 29; 124 : 15; 2 Aq : VI : 5; Krt : 72, 126, 138, 165, 251, 270; ʿnt : III : 44
ḫrṣm Krt : 206
745 **ḫrṣbʿ** Gl.
746 **ḫrṣn** a
747 **ḫršn** Gl.
748 **ḫš**
aḫšn 51 : VII : 32
ḫš see *ilḫš*
ḫštk 125 : 3, 4, 17, 18, 101, 103
tḫš 51 : VII : 38, 39
749 **ḫt** I Gl.
750 **ḫt** II see *ḫty*
751 **ḫtʾ**
ḫti 54 : V : 7
ḫtu 49 : II : 23
nḫtu 54 : 8, 10
tḫtan 51 : VIII : 20
752 **ḫty** Gl.
753 **ḫtn**
ḫtn 77 : 25
ḫtny 77 : 32
754 **ḫṯ** cf. *bn ḫṯ*
755 **ḫṯr** Gl.
756 **ṭb**
ṭb 5 : 12, 15; ʿnt : I : 20
ṭbn 1 Aq : 46
758 **ṭbḫ**
ṭbḫ 51 : VI : 40; 52 : 14; 124 : 12; 127 : 17; 128 : IV : 4; ʿnt pl. x : IV : 30
yṭbḫ 2 Aq : II : 29
tṭbḫ 62 : 18, 20, 22, 24; 127 : 20; 128 : IV : 15
759 **ṭbq**
ṭbq 113 : 54; 160 : 3; 2 Aq : I : 29, II : 18
ṭbqym 83 : 3 (?), 18
760 **ṭhr**
ṭhr 144 : 2
ṭhrm Gl.
ẓhrm 77 : 21
761 **ṭ–rn** cf. *bn ṭ–rn*
762 **ṭḥn**
ṭḥn 49 : V : 15
tṭḥnn 49 : II : 34

763 **ṯḫr**
mṯḫr Gl.
764 **ṯ(y/w)ḫ**
ṯḫ Gl.
765 **ṯlb** Gl.
766 **ṯll**
ṯl 6 : 27; 124 : 20; 1 Aq : 41, 44, 51, 55; ʿnt : II : 39, 40, IV : 87
ṯly 51 : I : 18, IV : 56, VI : 11; ʿnt : I : 24, III : 4, pl. vi : IV : 4, V : 50
yṯll 1 Aq : 41
[ṯ]ṯl 1 Aq : 200
[ṯ]ṯly 67 : V : 11
768 **ṯrd** Gl.
769 **ṯry** Gl.
770 **ẓi** see *yṣʾ*
771 **ẓu**
ẓuh Gl.
772 **ẓby**
ẓbyh 128 : IV : 18
ẓbyy 128 : IV : 7
773 **ẓbr** Gl.
774 **ẓhr** I
ẓr 51 : I : 35, II : 9, VII : 4, VIII : 6; 67 : V : 14; 126 : III : 13; 137 : 23, 25, 27, 29; 2 Aq : VI : 37; Krt : 73, 74, 166
ẓrh 51 : II : 20; 75 : II : 33 (?); ʿnt : III : 32
775 **ẓhr** II see *ṯhrm*
776 **ẓḥq**
yẓḥq Gl.
777 **ẓẓn** Gl.
778 **ẓll**
ẓl 51 : II : 27; Krt : 159
ẓlk 6 : 21
mẓll 51 : I : 13, 18, IV : 52, 56; ʿnt pl. vi : V : 48
779 **ẓlmt** cf. *bn ẓlmt*
780 **ẓmʾ**
mẓma Gl.
781 **ẓr** cf. *ẓhr* I
782 **ẓrn** Gl.
783 **y** I 49 : IV : 25, 36, 46; 51 : III : 9; 52 : 40, 43, 46, 65, 69; 127 : 55; 128 : II : 21; 137 : 36; 1 Aq : 61; 2 Aq : V : 37, VI : 34; 3 Aq : rev : 7; ʿnt pl. vi : V : 28, pl. ix : II : 8
784 **y** II Gl.
787 **ybdn** cf. *ḫbdn*
788 **ybl**
abl 2 Aq : V : 2
ybl 52 : 52, 59; 67 : II : 5; 118 : 25; 137 : 37, 38; 1 Aq : 213; Krt : 189
yblhm 51 : I : 38
yblk 51 : V : 79
yblmm 129 : 14
ybln 2 Aq : V : 12
yblnn 51 : V : 100, 102
yblt 51 : V : 89
tblk 51 : V : 77, 93
789 **ybm**
ybm 49 : I : 3
ybmh 125 : 94
ybmt 76 : III : 4; 51 : II : 15; 2 Aq : VI : 19, 25; ʿnt : II : 33
ymmt ʿnt : III : 9
790 **ybnil** cf. *bn il* and Gl. at *bnw/y*
791 **ybnn** Gl.
792 **ybnt** Gl.
793 **ybrdmy** Gl.
794 **yd** I
yd 49 : II : 25; 51 : VIII : 23, 45 (?); 52 : 33, 34, 35; 54 : 11; 68 : 1 (?); 75 : I : 24; 76 : I : 11 (?); 125 : 41, 47; 126 : V : 27; 128 : I : 1, 2, II : 17, IV : 24, V : 7; 130 : 8; 137 : 39; 164 : lines 1-7; 170 : 8, 9; 329 : 14, 15, 17, 18; 1 Aq : 66, 73, 220; 2 Aq : V : 19; 3 Aq : rev : 14; Krt : 54, 127, 139, 284; ʿnt pl. x : IV : 10; see *yd* ʼ love ʼ under *ydd* I
ydh 51 : VII : 40; 52 : 37; 76 : II : 6; 77 : 8; 136 : 2; 1 Aq : 7, 155, 162, 169; 2 Aq : I : 31; Krt : 157, 160, 168, 235; ʿnt : I : 11, II : 32, 34
ydy 67 : I : 20; 76 : I : 20; 2 Aq : II : 19
ydk 52 : 40, 44, 47; 124 : 4; 127 : 32, 45; 2 Aq : II : 5; Krt : 63, 75, 117
ydm 33 : 4; 51 : II : 33, VIII : 5; 67 : V : 13; 68 : 14, 16; 73 : 2; 125 : 118; 2 Aq : V : 25; ʿnt : VI : 23, pl. x : IV : 19
796 **ydd** I
yd 51 : IV : 38; 67 : III : 19; ʿnt : III : 3

ydd 49 : VI : 31; 51 : VII : 46, 48, VIII : 31; 67 : I : 8, 13, II : 9, III : 10, 26; 333 : 2; see *yd* ' hand' above
yddn 321 : II : 38
ydh 77 : 12
mdd 51 : II : 34, VII : 3, VIII : 23, 24; ʿnt : III : 35, 40, pl. x : IV : 20
mddbʿl 312 : 1; 313 : 1
mddt Krt : 191
mddth Krt : 103

797 **ydd** II see *ndd*
yd(d/b) 74 : 1
798 **ydy** 67 : VI : 18
799 **ydlm** Gl.
800 **ydln** Gl.
801 **ydn** 15 : 11; 16 : 3, 5, 6
802 **ydʿ**
idʿ 49 : III : 8
dʿtk 62 : 49
ydʿ 6 : 31; 32 : 6; 49 : I : 20; 76 : I : 3; ʿnt : I : 25, pl. x : V : 21; see under *dʿ*
ydʿt 6 : 10; 43 : 7; 125 : 33; 1 Aq : 51, 56, 200; ʿnt pl. x : V : 8, 21
ydʿtk 3 Aq : rev : 16; ʿnt pl. vi : V : 35
tdʿ 67 : V : 16; ʿnt : III : 23, 24, pl. ix : III : 15

804 **ydq** (?) Gl.
805 **ydrm** Gl.
806 **yw** Gl.
807 **yzg** cf. *bn yzg*
808 **yzn** Gl.
809 **yḥd** Gl.
810 **yḥmn** Gl.
811 **yḥmrm** Gl.
yḫl 153 : 8
812 **yṭp**
yṭp 3 Aq : 7, 16
yṭpn 1 Aq : 212, 214, 218; 3 Aq : 6, 11, 27
813 **yy** cf. *bn yy*
814 **yyn** I
yn 3 : 23; 8 : 1; 51 : III : 43, IV : 37, VI : 47, 48, 49, 50, 51, 52, 53, 54; 52 : 6, 74, 76; 59 : 1; 62 : 10, 44; 77 : 10; 124 : 17, 18, 19; 126 : III : 15; 128 : IV : 5, 16; 130 : 6 (?); 145 : 8, 10, 22, 23; 309 : 9; 1 Aq : 215, 219; 2 Aq : I : 32, II : 6, 20, VI : 5, 8; Krt : 72, 164; ʿnt pl. x : IV : 23; cf. *špšyn*
ynh 52 : 75
ynt 1 : 1

815 **yyn** Gl.; cf. *bn yyn*
816 **yky** Gl.
817 **ykn**
ykn Gl.; cf. *bn ykn*
yknil Gl.
yknʿm Gl.; cf. *bn yknʿm*
ykr 150 : 8
818 **yld**
ašld 52 : 65
wld 52 : 64; 128 : III : 5; Krt : 152
yld 6 : 30; 132 : 5; 2 Aq : II : 14
yldy 52 : 53
ylt 52 : 53, 60; 2 Aq : I : 42
ld 75 : I : 25
tld 6 : 2; 52 : 58; 76 : III : 21; 77 : 5, 7; 128 : II : 23, 25, III : 7, 8, 9, 10, 11, 12
tldn 52 : 52, 58; 67 : V : 22
819 **ylkn** cf. *bn ylkn*
820 **yly**
ylyh Gl.
821 **ym** I
ym 3 : 48; 6 : 3; 19 : 13; 49 : II : 26; 51 : II : 6, VI : 24, 26, 29; 52 : 59, 61; 121 : I : 5, II : 5; 123 : 16; 124 : 17, 21, 22, 23; 127 : 21; 143 : A : 1; 147 : 3; 2 Aq : I : 6, 9, 12, 33, 34, II : 7, 8, 22, 23, 32, 34, 37, VI : 7; Krt : 106, 107, 114, 116, 155, 195, 207, 208, 218, 219, 220; ʿnt pl. x : V : 15; cf. *ymm* and *ym* III
ymm 6 : 4; 49 : II : 26; 51 : VI : 32; 109 : 7, 8, 10; 1 Aq : 175; 2 Aq : I : 16, II : 39, V : 4; ʿnt pl. x : V : 15
822 **ym** II cf. *ymm*
ym III (?) 74 : 5; 75 : II : 12; 123 : 14; 133 : rev : 7; 136 : 6
823 **ym n** Gl.
824 **ymz** Gl.
825 **ymḫ** Gl.
826 **ymy** Gl.
ymmt cf. *ybmt*
827 **ymm**
ym 1 : 13; 8 : 9; 9 : 6; 17 : 8; 49 : V : 19, VI : 10, 14; 51 : II : 35, VI : 12, VII :

16; 52 : 30, 33, 34, 63; 62 : 50; 67 : I : 16; 68 : 3, 12, 17, 19, 25, 27, 32, 34; 73 : 1; 129 : 7, 12, 21; 137 : 11, 17, 22, 26, 28, 30, 33, 44, 45; 1 Aq : 205; Krt : 20; ʿnt : II : 7, 43, III : 36, pl. x : IV : 15; cf. *ym* I and *ym* III; *ilym*; *bn annym*; *bn ym*; *zblym*; *ḫlbym*; *yʿrtym*; *rbtym*; *ʿbdym*
ymm 137 : 36
ymil 322 : V : 4

828 **ymn**
ymn 16 : 13; 51 : V : 109; 52 : 63; 125 : 42, 48; 137 : 39; Krt : 67; cf. *bn ymn*
ymnh 51 : VII : 41; 76 : II : 7; 1 Aq : 218; 3 Aq : 10
ymny 1 Aq : 216
ymp Gl.

829 **yn** I cf. *yyn* I

830 **yn** II
yn Gl.
yny Gl.

831 **ynq**
ynq 128 : II : 26; cf. *bn ynq*
ynqm 52 : 24, 59, 61
mšnqt 128 : II : 28
tnq 6 : 32

832 **ynt** cf. *yyn* I

833 **ysd** I
ysdk 51 : III : 6
msdt 51 : I : 41

834 **ysd** II 301 : IV : 2; cf. *bn ysd* and *bn yšd*

835 **ysm**
ysmm 52 : 2; 76 : II : 30, III : 19
ysmsm 1 Aq : 60
ysmsmt 51 : IV : 15; 2 Aq : II : 42
ysmt 49 : II : 20; 67 : VI : 7, 29
tsm Krt : 146, 292
tsmh Krt : 146, 293

836 **ysr**
tsrk Gl.

837 **yʿby** Gl.

838 **yʿbdr** 51 : I : 19, IV : 57; ʿnt : III : 5, pl. vi : IV : 5

839 **yʿḏr** cf. *ʿḏr*

840 **yʿl**
yʿl Gl.
yʿlm Gl.

841 **yʿr**
yʿr 67 : VI : 18; 305 : 10
yʿrm 51 : VII : 36
yʿrn 321 : II : 18; cf. *yʿrn*
yʿrt 113 : 42
yʿrty 64 : 7
yʿrtym 66 : 3; 309 : 9

842 **yǵl**
yǵl 1 Aq : 65
yǵlm 1 Aq : 63

843 **yp**
ypkm 2 : 20, 22, 24
ypkn 2 : 28, 31

844 **ypy** cf. *bn ypy*

845 **ypln** Gl.

847 **ypʿ**
ypʿ Gl.
ypʿbʿl 150 : 19
ypʿt 137 : 3

848 **ypr**
ypr Gl.
myprt 52 : 25

849 **ypt** Gl.

850 **yṣʾ**
ašṣi 68 : 2
ẓi 75 : I : 14, 19
yṣa 68 : 6, 30; 90 : 1; 1 Aq : 75, 78, 113, 141
yṣat 125 : 51; 3 Aq : 36
yṣi Krt : 85, 87, 100; cf. *bn yṣi*
yṣu 125 : 53
yšṣi 128 : V : 24
mšṣu 2 Aq : I : 28, 46
ṣat 125 : 35; ʿnt : II : 8
tṣi 3 Aq : 24

851 **yṣb** cf. *nṣb*

852 **yṣḥ**
yṣḥm Gl.

853 **yṣq**
yṣq 51 : I : 26, 27, 28, 30; 55 : 3, 5, 7, 9, 29; 56 : 11, 16, 20, 22; 67 : VI : 14; Krt : 164; ʿnt : II : 31
tšṣq 49 : II : 10

854 **yṣr**
yṣr 315 : 11, 12; cf. *bn yṣr*
yṣrm 115 : 11; 169 : rev : 11

855 **yqy** Gl.

856 **yqǵ**
tqǵ Gl.
857 **yqš**
yqš 154 : 8
yqšm 115 : 6; 169 : rev : 8
858 **yr'**
yraun 67 : II : 6
yru 49 : VI : 30
858a **yrgb** 62 : 57
859 **yrd**
ard 67 : VI : 25; 129 : 20
yrd 49 : I : 35; 67 : II : 4, VI : 12; Krt : 36, 79, 171
yrdm 51 : VIII : 8, 9; 67 : V : 15, 16
yrdt 1 : 20; 77 : 42
yrt 67 : I : 6
nrd 62 : 7
rd 51 : VIII : 7; 67 : V : 14; 127 : 37, 52
šrd Krt : 77, 169
trd 62 : I : 8
860 **yrḫ**
yrḫ 1 : 14; 3 : 1; 5 : 11, 14; 9 : 11; 75 : I : 15; 77 : 4, 16, 18, 31, 33, 38, 39; 109 : 4, 5, 6, 8, 9, 10; 125 : 81; 128 : II : 4; 1 Aq : 164; 3 Aq : 9, rev : 31; cf. *ʿbdyrḫ*
yrḫm 49 : II : 27, V : 7; 109 : 3; 125 : 84; 1 Aq : 175, 176; 2 Aq : II : 46, VI : 29; Krt : 84, 175
861 **yry**
yr 52 : 38; 1 Aq : 40
tr 51 : V : 83; 76 : II : 11, 28, 29, III : 18; 2 Aq : VI : 46
862 **yrk** Gl.
863 **yrmt** Gl.
864 **(y/ḫ)rn** Gl.
865 **yrq** 51 : IV : 6, 11; 1 Aq : 54; Krt : 126, 138, 283
867 **yrṯ**
arṯm 137 : 19, 35
itrṯ ʿnt : III : 44
yrṯ Krt : 25
868 **yšn**
yšn Krt : 31, 119, 222
yšnḥrš 300 : 3; 300 : rev : 26; 308 : 6
šnt Krt : 33
šnth 1 Aq : I : 151
870 **yšr**
yšrh Gl.
871 **yšrd** Gl.
872 **ytḥm** Gl.
873 **ytm** Gl.
874 **ytn**
aštn 1 Aq : 140
atn 6 : 11; 77 : 22; 2 Aq : IV : 17; Krt :206
atnk 2 Aq : VI : 27
ytn 13 : 11; 18 : 19; 49 : VI : 10; 51 : V : 70; 67 : I : 10, II : 14; 76 : I : 13, II : 8; 125 : 13; 128 : II : 10; 129 : 4; 133 : rev : 5; 137 : 20; 144 : 2, 5; 168 : 2; Krt : 150, 296, 302; ʿnt : I : 10; pl. vi : V : 11, pl. x : IV : 9
ytnh 329 : 16
ytnk 100 : 9
ytnm 52 : 3; 301 : I : 1
ytnn 2 Aq : V : 26
ytnt 49 : VI : 14; Krt : 135, 277
mtn 1 : 2
ntn 125 : 4, 18
tn 49 : I : 17, II : 11; 51 : frag. for VII : 53-8 : 3; 52 : 71, 72; 77 : 17; 137 : 18, 34, 35; 2 Aq : VI : 18, 24; Krt : 143, 288
tštn 3 Aq : 28
tštnn 1 Aq : 59
ttn 32 : 5; 49 : I : 4, IV : 31; 51 : IV : 20, V : 84, VIII : 1, 10; 67 : V : 12; 68 : 6; 137 : 14; 1 Aq : 16; 3 Aq : rev : 20; Krt : 142, 288; ʿnt : IV : 81, VI : 12
ttnn 76 : II : 31, III : 33
875 **ytrhdbʿl** Gl.
876 **ytrm** cf. *bn ytrm*
877 **ytršp** Gl.
878 **yṯb**
aṯb 127 : 53
aṯbn 49 : III : 18; 2 Aq : II : 12
aṯbnn 127 : 38
yṯb 49 : I : 30, V : 20; 52 : 8; 67 : VI : 12, 13; 76 : I : 9, III : 14; 137 : 21; 2 Aq : V : 6; 3 Aq : 29; ʿnt pl. x : IV : 4; cf. *tbr*, *ṯwb*
yṯṯb 51 : V : 109
yṯṯbn 49 : VI : 33
mṯb 51 : I : 13, 14, 15, 17, 19, IV : 52, 53, 54, 55, 57; 128 : V : 6; ʿnt pl. vi : V : 47, pl. vi : IV : 3, 49, 50

mṯbh 128 : IV : 22
mṯbk 6 : 11
mṯbt 3 : 51; 33 : 5; 52 : 19
mṯbtkm 126 : V : 24
ṯṯb 51 : VI : 2
ṯbn 3 : 54
ṯbt 67 : III : 2, 3
ṯbth 51 : VIII : 13; Krt : 23; ʿnt : VI : 15
ṯbty 67 : II : 16
ṯbtk 49 : VI : 28
ṯṯbn 33 : 6

879 **yṯn**
yṯnm 55 : 28; 56 : 34
yṯnt 55 : 28; 56 : 33

880-2 **k**
k 3 : 52; 5 : 1; 6 : 14, 24, 25; 8 : 2; 32 : 3, 5; 49 : I : 13, 14, II : 6, 7, 21, 23, 28, III : 1, 9, 21, VI : 11, 16, 18, 19, 21; 51 : I : 42, 43, II : 14, 27, 29 (?), III : 21, IV : 17, 27, 51, V : 63, 104, VII : 41, VIII : 18, 19; 51 : frag. for VII : 4; 52 : 33, 34, 35, 39, 50; 54 : 12; 55 : 27; 56 : 8, 12, 17, 21, 23, 32; 62 : 5, 10, 15, 19; 67 : I : 1, 27, II : 5, III : 8, V : 17, VI : 21; 68 : 29; 75 : I : 10, II : 47, 49; 76 : III : 6, 7; 124 : 14, 15; 125 : 2, 15, 16, 17, 33, 41, 84, 100, 101, 102; 126 : IV : 3, 6; 127 : 43; 128 : I : 7; 129 : 22; 130 : 2, 23, 24; 131 : 8; 137 : 37; 1 Aq : 8, 10, 13, 46, 88, 93; 2 Aq : II : 6, 14, 20, 21, V : 11, 15, 36, VI : 30; 3 Aq : 28, rev : 16; Krt : 39, 43, 103, 145, 193, 291; ʿnt : II : 2, 9, 10, 27, IV : 45, pl. vi : IV : 1, pl. vi : V : 9, 11, 12, 35, 36, 46, 47, pl. ix : II : 9
km 3 : 55; 49 : II : 8, 29; 51 : IV : 51, V : 63, 90, 91, VII : 6; 51 : frag. for VII : 3; 52 : 11; 62 : 4; 68 : 13, 15, 21, 24; 75 : I : 7, 8, 11, 31, 32, II : 15, 40, 41, 47, 48, 55, 56; 123 : 4, 9; 124 : 10; 125 : 89, 90; 127 : 36, 50; 128 : III : 23, 25, IV : 27, VI : 6; 310 : 6; 1 Aq : 82, 223; 2 Aq : I : 20, 21, 22, II : 14, 15, VI : 14; 3 Aq : 17, 18, 23, 24, 25, 29, 35, 36, 37; Krt : 29, 30, 105, 146, 192, 292; ʿnt : III : 5, V : 46, pl. x : IV : 11

884 **kbd**
ykbd 129 : 6
kbd 3 : 39; 9 : 13; 49 : II : 16, 17; 51 : VIII : 28, 29; 67 : VI : 27, 28; 75 : I : 10, 13; 90 : 7; 92 : 12; 110 : 6; 116 : 6; 118 : 20; 130 : 16; 134 : 10; 145 : 22; 172 : 7, 9; 1 Aq : 35; 2 Aq : V : 20; ʿnt : II : 26, III : 7, 13, 14, IV : 54, 68, 69, 74, 75, VI : 20, pl. ix : II : 20; cf. *bn kbd*
kbdh 6 : 31; 67 : II : 4; 1 Aq : 130, 139, 144; ʿnt : II : 25
kbdk 3 Aq : rev : 18
kbdm 171 : 1
kbdth 1 Aq : 124
kbdthm 1 Aq : 116
nkbd 1 : 2
tkbd 2 Aq : V : 30
tkbdh 51 : IV : 26
tkbdnh 49 : I : 10

885 **kbyy** Gl.

886 **kbkb**
kbkb 6 : 28; 51 : IV : 17; 67 : III : 8
kbkbm 52 : 54; 67 : II : 3; 130 : 20; 1 Aq : 52, 56, 187, 193, 200; ʿnt : II : 41, III : 22, IV : 88
kbkbt 6 : 17
kkbm 76 : I : 4

887 **-kbln** 309 : 5; cf. *bn kbln*

888 **kbs**
kbs 171 : 6
kbsm 170 : 19
kbšm 115 : 7; 324 : II : 5

890 **kd**
kd 12 : 2, 8; 27 : 7; 49 : II : 3, 4; 59 : 1; 84 : 4, 7, 12; 335 : 3; ʿnt : I : 16, pl. x : IV : 23; cf. *bn kdgdl*; *bn kdgdlm*
kdm 3 : 23; 84 : 3, 8, 9, 11

891 **kdgdl(m)** cf. *bn kdgdl(m)*

892 **kdd** Gl.

894 **kdn** 312 : 2; cf. *bn kdn*

895 **kdr**
kdr 23 : 10; 145 : 11
kdrt 131 : 8; ʿnt : II : 9

896 **kdrn** 310 : 4; cf. *bn kdrn*

kḏd(?) see *kšd*
897 **kḏǵbr** cf. *bn kḏǵbr*
898 **khn**
khnm a; b; 18 : 1; 62 : 55; 63 : 1; 81 : 1; 82 : 1; 113 : 72; 115 : 9; 169 : 6; 400 : VI : 21
899 **kwn**
akn Krt : 15
ykn 2 Aq : I : 26, 43
yknn 76 : III : 7
yknnh 51 : IV : 48; ʿnt pl. vi : V : 44
kwn cf. *bn kwn*
mknt Krt : 11
tkn 67 : III : 6
900 **kzym** Gl.
901 **kḥṣ** Gl.
902 **kḥṯ**
kḥṯ 49 : I : 30, 36, V : 6; 51 : I : 34; 68 : 13, 20; 76 : III : 15; 123 : 18; 126 : V : 25; 127 : 24; 137 : 23, 25, 27, 29; ʿnt : IV : 47
kḥṯm 51 : VI : 51
903 **ky** cf. *bn ky*
904 **kyy**
iky Gl.
905 **kkbm** see *kbkb*
906 **kknt** cf. *knkn*(*t*)
907 **kkr**
kkr 120 : 9, 11; 145 : 2
kkrm 90 : 5; 120 : 6
908 **kkrdnm** 169 : 10
909 **klʿ**
klat 52 : 57; 67 : I : 19; ʿnt : I : 11, II : 3, pl. x : IV : 10
klatnm Krt : 161
910 **klb**
klb 125 : 2, 15, 100; 323 : III : 5; 400 : II : 8; Krt : 123, 226
klby 54 : 6; 300 : rev : 4; 316 : 9; 321 : II : 19; 322 : V : 8; 400 : I : 24
klbm 305 : 4
klbt ʿnt : III : 42
912 **kly**
akl 49 : V : 24
akly 1 Aq : 196
ykly 68 : 27
kly 49 : V : 25; 126 : III : 13, 14, 15
klyy 49 : VI : 11, 15
klt ʿnt : III : 36, 43
mkly 1 Aq : 196, 197, 202
tkl 125 : 26; 1 Aq : 202
tkly 49 : II : 36; 67 : I : 2, 28
913 **klyn** 329 : 10
914 **klkl** Gl.
915 **kll** I
ykllnh 51 : V : 72
klh 49 : I : 37; 2 Aq : V : 21, 31; ʿnt : VI : 14
klhm 5 : 26; 133 : 4; Krt : 95, 183
kll 49 : II : 15, 16; 67 : VI : 26, 27; 125 : 45; 2 Aq : VI : 38; 3 Aq : 4
kllh 43 : 9
škllt 125 : 90
916 **kll** II Gl.
917 **kll** III
klt 51 : I : 16, IV : 54; Krt : 162
klth 329 : 3, 12
918 **klny**
ḳlnyy Gl.
klnyn Gl.
919 **klnmw** Gl.
920 **klt**
klt Krt : 69
klṯb 300 : rev : 14
921 **km** cf. *k* and *bn km*
923 **kmhn** cf. *kmhm*
924 **kmy** cf. *bn kmy*
925 **kmyr** Krt : 93, 181
926 **kmll** cf. *km ll*
927 **kmm** Gl.
928 **kmn** I Gl.
929 **kmn** II 51 : V : 86, 119, VIII : 25, 26; 2 Aq : V : 10; 3 Aq : rev : 22; ʿnt : IV : 82, VI : 18
930 **kms**
tkms 75 : II : 55
931 **kmr** Gl.
932 **kmrṯn** Gl.
933 **kn** Gl.
934 **knd**
knd 98 : 3
kndwm 98 : 2
935 **knyt** Gl.
936 **knkn**

kknt 49 : I : 39
knkn 1 Aq : 147
937 **knkny** Gl.
938 **knn** 321 : I : 15; cf. *bn knn*
939 **knʿm** Gl.
940 **knʿmy** Gl.
941 **knp**
knp 76 : II : 10, 11; 1 Aq : 114, 118, 122, 128, 132, 136, 142, 148; cf. *bʿlknp*
mknpt 125 : 9
942 **knr** Gl.
943 **knt** 107 : 17
944 **ks**
ks 51 : III : 16, IV : 37; 67 : I : 21, IV : 16, 17; 75 : I : 18; 118 : 27, 29, 31; 128 : II : 16; 1 Aq : 216; 2 Aq : VI : 5; ʿnt : I : 10, 13, pl. ix : III : 12.
ksh 51 : IV : 46; 75 : II : 29; ʿnt pl. vi : V : 42
kšm 1 : 9
ksm 3 : 19; see *ksm*
945 **ksʾ**
ksa 49 : VI : 28
ksat 51 : VI : 52; ʿnt : II : 21, 36
ksi 49 : V : 5; 67 : VI : 12; 68 : 7; 76 : III : 14; 127 : 23; ʿnt : IV : 46
ksih 68 : 12, 20
ksu 51 : V : 108, VIII : 12; 67 : II : 15; ʿnt : VI : 15, pl. ix : III : 1
kšu 33 : 7
946 **ksdm** Gl.
947 **ksy**
yks 67 : VI : 16
ksyn 313 : 9
kst 13 : 9; 1 Aq : 35, 47; 2 Aq : VI : 15
mks 51 : II : 5
tks 67 : VI : 31
tksynn 76 : III : 25
948 **ksl**
ksl 51 : II : 17; 1 Aq : 95; ʿnt : II : 16, III : 30, 32
kslh 2 Aq : VI : 11; ʿnt : III : 32
kslk 127 : 50
949 **ksln** cf. *bn ksln*
950 **ksm**
ksm 67 : VI : 5; 126 : III : 4; see *ks*
kšm cf. *ks*
ksmh 2 Aq : I : 32
ksmy 2 Aq : II : 21
ksmk 2 Aq : II : 4
ksmm 126 : III : 10
951 **ksp**
ksp 5 : 12; 23 : 11; 51 : I : 26, 27, 32, II : 26, 27, IV : 6, 10, V : 77, 80, 94, 95, 100, VI : 34, 37; 67 : IV : 17; 77 : 20; 96 : 7; 113 : 74; 114 : 6; 115 : 14; 118 :31; 124 : 14; 145 : 1, 4, 6, 7, 11, 12; 1 Aq : 53; 2 Aq : VI : 17; Krt : 126, 138, 282
kspy ʿnt pl. x : IV : 21
kspm Krt : 205
952 **kʿt** Gl.
953 **kpp**
kp Gl.
kpt Gl.
954 **kpl**
kpl Gl.
kplt(t/n) cf. *bn kplt(t/n)*
955 **kpr** Gl.
956 **kpt** see *kpp*
957 **kptr** Gl.
958 **krm** Gl.
959 **kran** Gl.
960 **krb** Gl.
krd cf. *ḫlbkrd*
961 **krwn** cf. *bn krwn*; Gl.
962 **krz–** 119 : 1; cf. *bn krz–*
963 **kry** Gl.
964 **kryn** cf. *bn kryn*
965 **krkr**
ykrkr Gl.
966 **krm**
krmm Gl.
967 **krm(t/n)** cf. *bn krm(t/n)*
968 **krs** Gl.
969 **krsnt** Gl.
970 **krʿ**
ykrʿ 76 : II : 18
tkrʿ 6 : 19
971 **krpn**
krpn 67 : IV : 18; 128 : II : 17; 2 Aq : VI : 6; ʿnt : I : 14, pl. x : IV : 10
krpnm 51 : III : 43, IV : 37, VI : 58; ʿnt : I : 11

972 **krr–** Gl.
973 **krt** 125 : 1, 10, 24, 57, 60, 82, 86, 110; 126 : III : 17; 127 : 3, 15, 22, 41, 54; 128 : I : 4, 8, II : 8, 19, 21, III : 2, 23, 28, IV : 21, 28, V : 12, 19, VI : 6, 8; Krt : 10, 11, 22, 38, 39, 60, 80, 124, 130, 132, 152, 154, 171, 274, 280, 281, 305
krkt Krt : 298
krtn 125 : 39
974 **kš** Gl.
975 **kšd**
tkšd 67 : I : 16
kḏd (?) 67 : I : 17
976 **kšr**
mkšr Gl.
977 **kt** I 49 : I : 24; 51 : I : 31, 32
978 **kt** II Gl.
979 **ktkt** cf. *bn ktkt*
980 **ktln** cf. *bn ktln*
981 **ktmn** Gl.
ktmm cf. *bn ktmm*
982 **ktn**
ktn 118 : 27, 29, 31
ktnt 118 : 21
983 **ktp**
ktp 49 : V : 2; 62 : 14; 68 : 14, 16
ktpm 137 : 42
984 **ktr** Gl.
985 **kṯ** Gl.
986 **kṯan** cf. *bn kṯan*
987 **kṯy** Gl.
988 **kṯkym** 166 : 2
989 **kṯr**
kṯr 5 : 8; 51 : VII : 15, 16; 68 : 11, 18; 2 Aq : V : 10, 31; ʿnt pl. ix : III : 7
kṯrwḫss 51 : V : 103, 106, 120, VI : 1, 3, 14, VII : 20, 21; 62 : 51, 52; 68 : 7; 128 : II : 5; 129 : 7; 2 Aq : V : 17, 23, 25, VI : 24; ʿnt : VI : 21, pl. ix : III : 4, 17
kṯrm 62 : 48; 129 : 20; Krt : 16
kṯrmlk 314 : rev : 5
kṯrt 77 : 6, 11, 15, 40, 50; 132 : 6; 2 Aq : II : 26, 29, 30, 33, 35, 37, 40
mkṯr 51 : II : 30

990-3 **l**
l 1 : 2, 5, 19, 21, 22; 2 : 15, 17, 24, 25, 26, 27, 32, 33, 34, 35; 3 : 25, 26, 27, 30, 42, 43, 49, 50, 53; 5 : 5, 8, 11, 13, 14, 17, 18, 20, 21, 23, 26; 6 : 6, 7, 8, 9, 12, 15, 22, 31; 9 : 2, 8; 13 : 11; 13 : rev : 2; 18 : 1, 18; 19 : 5, 14, 15, 16; 21 : 2; 22 : 2, 4, 6; 23 : 3, 4, 5; 24 : 9; 32 : 5; 49 : I : 3, 4, 8, 17, 22, 23, 30, 31, 32, 34, 36, II : 1, 2, 7, 8, 14, 16, 17, 19, 26, 27, 28, 29, 35, 36, III : 15, 22, 23, 24, IV : 31, 46, 47, V : 4, 5, 6, 7, 8, VI : 23, 24, 27, 28, 29; 51 : I : 5, 24, 28, 29, 44, II : 8, 9, 29, III : 21, IV : 14, 15, 17, 20, 25, 29, 47, 50, 62, V : 65, 66, 67, 71, 74, 84, 90, 101, 104, 109, 121, 122, VI : 2, 4, 15, 18, 19, 34, 35, VII : 4, 7, 8, 9, 23, 23, 23, 25, 42, 45, 46, 50, 52, VIII : 6, 16, 26, 30, 31; 51 : frg. for VII : 3, 5; 52 : 3, 5, 31, 32, 36, 39, 41, 44, 45, 48, 52, 54, 57, 59, 62, 66, 75; 54 : 2, 4, 5, 6; 55 : 8; 56 : 8; 59 : 2; 62 : 1, 11, 12, 14, 41, 42; 62 : rev : 42, 43; 67 : I : 6, 9, 10, II : 2, 3, 8, 9, 11, 13, 14, III : 13, 14, III : 13, 14, 20, 21, 28, IV : 2, 21, 23, 24; V : 14, 20, 21, 25, VI : 5, 7, 8, 12, 13, 14, 15, 16, 27, 28, 30; 68 : 2, 5, 6, 7, 8, 12, 13, 17, 17, 20, 23, 26, 28, 29, 32, 33, 34, 35, 37; 69 : 2, 3; 70 : 2; 71 : 6, 7, 8; 75 : I : 14, 16, II : 49, 50, 57; 76 : I : 3, 8, 9, 16, 17, 18, II : 8, 17, 18, 31, III : 3, 4, 14, 15, 16, 22, 33, 36, 37; 77 : 6, 8, 9, 12, 13, 15, 19, 24, 25, 29, 36; 89 : 1, 6, 15; 90 : 3, 4; 92 : 2, 3, 4, 5, 6, 7, 8, 9, 11, 13, 16, 17; 93 : 6, 7, 8, 11, 12, 13, 14, 15; 95 : 1, 5, 18; 100 : 3, 5, 6; 117 : 1, 5, 6, 13, 16; 118 : 9, 17, 19, 25, 28, 30; 118 : 24, 32, 34; 120 : 3; 121 : II : 4, 6; 122 : 4, 7, 12, 14; 123 : 6, 11, 23; 124 : 15; 125 : 4, 15, 18, 23, 26, 30, 31, 38, 45, 54, 91, 93, 99, 103, 106; 126 : III : 4, 5, 6, 7, 9, 13, IV : 11, 14, 15, 17, V : 24, 25; 127 : 11, 12, 16, 22, 23, 24, 25, 27, 29, 33, 34, 37, 38, 41,

45, 46, 47, 49, 52, 53; 128 : I : 5, 6, II : 10, 13, 14, 15, 23, 25, III : 18, 19, 20, 21, IV : 27, V : 10, 18, VI : 4; 129 : 2, 4, 11, 16, 18, 20, 22; 130 : 6, 13, 16; 131 : 5; 132 : 3; 133 : 4, 133 : rev : 5, 12; 134 : 3, 4, 8, 11; 135 : 6; 137 : 16, 19, 20, 21, 23, 25, 27, 29, 30, 31, 33, 45; 138 : 2, 13, 14, 18, 19; 144 : 2, 5, 7; 145 : 6; 146 : 14, 16, 18, 19, 20, 22; 148 : 2; 166 : 1; 171 : 1, 2, 3, 4, 5, 6, 7, 8, 9, 10, 11, 12; 300 : 15; 310 : 5; 318 : 3, 4, 5, 6, 7; 1 Aq : 1, 16, 17, 42, 49, 51, 60, 75, 78, 82, 90, 113, 141, 146, 152, 156, 157, 163, 165, 167, side, 171, 174, 175, 176, 177, 178, 191, 194, 199, 210, 212, 222, 223; 2 Aq : I : 19, 21, 24, 25, 28, 29, 39, II : 2, 11, 14, 17, 25, 29, V : 15, 17, 18, 23, 24, 27, 32, VI : 8, 15, 24, 25, 26, 34, 37, 42, 43; 3 Aq : 4, 12, 19, 24, 27, 29, 30, rev : 20; Krt : 9, 12, 15, 73, 74, 76, 80, 81, 82, 92, 93, 101, 108, 109, 119, 120, 121, 122, 124, 132, 133, 137, 143, 153, 166, 169, 172, 173, 180, 181, 190, 191, 197, 198, 210, 222, 223, 224, 228, 234, 279, 280, 289, 298, 299, 301, 302; ʿnt : I : 6, 14, 15, II : 12, 17, 18, 19, 21, 22, 36, 37, III : 2, 4, 6, 8, 9, 13, 14, 18, 23, 24, 34, 35, 36, 37, IV : 46, 47, 48, 49, 50, 54, 68, 69, 74, 75, 76, 78, 79, 81, 84; ʿnt pl. vi : IV : 7, 8, pl. vi : V : 9, 11, 23, 37, 43, 46, pl. vi : VI : 10, 11, 18, 22, pl. ix : II : 10, 20, pl. ix : III : 4, 15, 19, 21, pl. x : IV : 3, 7, 16, 24, pl. x : V : 21, 27

lm 123 : 14; 128 : IV : 22; Krt : 102; see also under *lm* below

ln 137 : 25, 27, 29

994 **la** 49 : II : 25; 51 : VIII : 22; 137 : 20; ʿnt pl. vi : V : 26

995 **lʾʾ**

tluan Gl.

996 **laḫdt** (?) 15 : 7

997 **lʾy**

lan 127 : 14

li 127 : 2

liy 80 : II : 15

aliybʿl 67 : V : 17

aliyn bn bʿl 67 : II : 17

aliynbʿl 49 : I : 1, 13, 30, 36, II : 20, III : 2, 8, 20, IV : 28, 39, 44, V : 10, VI : 25; 51 : II : 22, 37, III : 10, 23, 37, IV : 43, V : 74, 97, 109, 111, 121, 125, VI : 4, 7, 36, VII : 2, 14, 23, 37, VIII : 33; 62 : 12, 14, 19, 21, 23, 25, 27, 29; 67 : II : 6, 10, V : 1, VI : 9; 68 : 28, 31; 76 : I : 6, II : 13, 34; III : 5, 38; 124 : 26; 128 : II : 3, 12; 132 : 3, 8; 137 : 4; ʿnt : I : 2, III : 2, 10, IV : 51, pl. vi : V : 40, pl. vi : VI : 24, pl. x : IV : 22

aliyqrdm 51 : VIII : 34; 67 : II : 10, 18; ʾnt : III : 11, IV : 51

tliym 1 Aq : 84

tliyt 76 : III : 29, 32; ʿnt : III : 28

998 **lʾk**

ilak 51 : VII : 45

ylak 77 : 16; 137 : 11; Krt : 123

lak 54 : 10

lik 67 : IV : 23, 24

likt 138 : 7

mlak 6 : 25; 137 : 22, 26, 28, 30, 41, 42, 44

mlakm 135 : 6; 137 : 11; Krt : 124, 137, 300

tlak 6 : 27

tlakn 51 : V : 104

999 **lʾm**

lim 62 : 6; 67 : VI : 23; 130 : 26; ʿnt : II : 7

limm 6 : 20, 23; 49 : VI : 6; 76 : I : 8, 15, 16; 134 : 8; 2 Aq : VI : 19, 25; ʿnt : II : 33, III : 9, IV : 66

1000 **lʾb**

lbi cf. *bn šmlbi*

lbit 67 : I : 14; cf. *ʿbdlbit*

lbu 77 : 30

lbum cf. *bwʾ*

1001 **lbb**

lb 5 : 4; 49 : II : 6, 7, 8, 28, 29; 62 : 5; 67 : VI : 21; 75 : I : 13; 128 : V : 15; 1 Aq : 3, 10, 34; 2 Aq : VI : 41; 3 Aq : rev : 17; cf. *aplb lbh* 3 : 52; 131 : 7; 1 Aq : 223; ʿnt : II : 26

1002 **lbl** Gl.

1003 **lbn** I
lbn 67 : III : 6
lbnk 67 : III : 7
lbnt 6 : 13; 51 : IV : 62, V : 73, VI : 35
tlbn 51 : IV : 61

1004 **lbn** II
lbnn Gl.
lbnm 113 : 2

1005 **lbr**
mlbr 75 : I : 21, 35; cf. *dbr*

1006 **lbš**
ylbš 5 : 22
lbš 75 : II : 47
lbšt 6 : 25
šlbšn 67 : V : 23
tlbš 1 Aq : 206, 208

1007 **lg** Gl.

1008 **lgn** cf. *bn lgn*

1009 **lhn** Gl.

1010 **lwḥ**
lḥ Gl.
lḥt Gl.

1011 **lwš** Gl.

1012 **lẓntn–** cf. *znw/y*

1013 **lḥ** see *lwḥ*

1014 **lḥm** I
ašlḥmnh ʿnt : I : 5
ilḥm 67 : I : 20; 127 : 18
ylḥm 2 Aq : I : 3, 8, 11, 13, 22
yšlḥm 2 Aq : II : 30, 32, 34, 35, 37
lḥm 51 : IV : 35, 36, V : 110, VI : 55; 52 : 6, 71; 62 : 3, 43; 67 : I : 24, IV : 11, 12, VI : 19; 126 : III : 14; 127 : 11, 20; 128 : VI : 4; 3 Aq : 19, 29; Krt : 83, 174
lḥmh Krt : 162
lḥmm 67 : I : 24
nlḥm 52 : 72
šlḥm 2 Aq : V : 19
tlḥm 51 : III : 40; 62 : 42; 124 : 21
tlḥmn 121 : I : 6; 124 : 23
tšlḥm 127 : 49; 2 Aq : V : 29

1015 **mlḥmt**
mlḥmy 67 : II : 23
mlḥmt ʿnt : III : 12, IV : 52, 67, 72

1016 **lḥn**
ylḥn Gl.; cf. *bn ylḥn*

1017 **lḥt** see *lwḥ*

1018 **lḫm** Gl.

1019 **lḫsn** 331 : 10; cf. *bn lḫsn*

1020 **lḫšt** Gl.

1021 **lṭpn**
lṭpn 49 : IV : 35; 125 : 23, 106; 126 : IV : 3; ʿnt pl. ix : II : 18, III : 6
lṭpnildpid 49 : I : 21, III : 4, 10, 14; 51 : IV : 58; 67 : VI : 11; 126 : IV : 10, V : 10, 23; 128 : II : 13; 3 Aq : rev : 15; ʿnt pl. x : IV : 13, 18
lẓpnilḏpid 77 : 44, 45
lṭpnwqdš 125 : 11, 21, 111

1022 **lṭšt** Gl.

1023 **lyṭ** see *šlyṭ*

1024 **lyn**
yln Gl.

1025 **lky** cf. *bn lky*

1026 **ll**
ll 137 : 20; ʿnt pl. x : IV : 11
llkm 2 : 22
llkn 2 : 30

1027 **llʾ**
lla Krt : 68, 161
lli 49 : II : 23; 51 : VIII : 19; 130 : 2
llim 51 : VI : 43; 124 : 14
llit cf. *bn llit*

1028 **llyt** Gl.

1029 **lm** 18 : 13; 51 : VII : 38, 39; 75 : II : 58; 76 : III : 6; 125 : 80; 137 : 24; Krt : 137, 282; cf. *lm* under *l*

1030 **lmd**
almdk 3 Aq : rev : 29
lmd 62 : 54
lmdhm 170 : 8, 9
lmn for *ulmn* and *almnt* see *ulm*

1031 **lm–**
mlm Gl.

1032 **ln**
ln 149 : 5 (?); 2 Aq : II : 19
lnh 2 Aq : I : 30

1033 **lsk–**
lsk– 118 : 38
lskt Gl.

1034 **lsm**
lsmm 49 : VI : 21
lsmt 124 : 6
tlsmn ʿnt : III : 16, pl. ix : II : 22
1035 **lsn** Gl.
1036 **lpʾ**
lpuy Gl.
1037 **lpš** Gl.
lṣb 49 : III : 16; 51 : IV : 28; 52 : 57; 149 : 2; 2 Aq : II : 10
1038 **lṣn** cf. *bn lṣn*
1039 **lq**
lqt Gl.
1040 **lqḥ**
iqḥ Krt : 204
yqḥ 3 : 20; 52 : 35, 36; 1 Aq : 145, 184; 2 Aq : VI : 35, 36; ʿnt : I : 16
lqḥ 84 : 1; 144 : 4, 6; 170 : 8; Krt : 159, 163
mqḥ 172 : 4
mqḥm 145 : 21; 172 : 4
qḥ 51 : II : 32; 67 : V : 6; 75 : I : 17; 125 : 41; 1 Aq : 216, 217; Krt : 66, 70, 126, 130, 250, 269, 274
qḥn 1 Aq : 215
tqḥ 68 : 10; 128 : II : 22; 3 Aq : 27
1041 **lrmn** Gl.
lrḥt 144 : 6 (?)
1042 **lšn**
lšn 67 : II : 3
tlšn 2 Aq : VI : 51
1043 **lt** Gl.
1044 **ltḥ** 12 : 3, 4, 9, 10, 16, 17; 97 : 16, 17
1045 **ltn** Gl.
1046 **lṯkm** Gl.
1048 **m** Gl.
1049 **mʾ**
mat 12 : 3, 5, 11, 14; 96 : 2; 98 : 7; 118 : 22, 23; 120 : 2, 4; 145 : 16, 17; 148 : 2; 157 : 1; 172 : 1; Krt : 89, 179
mit 22 : 10; 23 : 9; 25 : 6; 67 : IV : 3; 99 : 9; 118 : 27, 28, 29, 30, 32, 33; 120 : 7
mitm 90 : 7; 99 : 12; 172 : 2
1050 **mui-** Gl.
1051 **mʾd**
amid Krt : 58
mad Krt : 88
mid 51 : V : 77, 94, 100; 54 : 13; 55 : 27; 56 : 33; 64 : 4; 95 : 11; 113 : 37; 128 : III : 13; Krt : 23; ʿnt : II : 23; ʿnt pl. vi : V : 24
1052 **mud** 67 : III : 16, 17, 22, 23
1053 **madmn** Gl.
1054 **miḫ-m** Gl.
1055 **miyt** Gl.
1056 **mb-** Gl.
1057 **mbk** see *nbk*
1058 **mgdly** Gl.
1059 **mglb** cf. *bn mglb*
1061 **mgn** I
mgn 51 : I : 22; frg. for VII : 53-8 : 1
mgnk 125 : 45
mgnm 172 : 3
mgntm 51 : III : 30
nmgn 51 : III : 33, 36
tmgnn 51 : III : 25, 28
1062 **mgn** II see *gnn*
1063 **md** I cf. *mdd*
1064 **md** II
mdh Gl.
1065 **mdb** Gl.
1066 **mdgt** Gl.
1067 **mdd**
mdm Gl.
1068 **mdl** I
mdl Gl.
tmdln 1 Aq : 57
1069 **mdl** II
mdlh ʿnt : IV : 70
mdlk 67 : V : 7
1070 **mdn**
mdn cf. *bn mdn*
mdnt ʿnt : II : 16
1071 **mdrǵlm** 64 : 1; 113 : 61; 115 : 17; 119 : 14; 300 : rev : 22; 305 : 1; 306 : 1; 400 : VI : 6, 17
1072 **mh**
mh 49 : II : 13; 51 : II : 39; 52 : 53, 60; 127 : 6; 2 Aq : VI : 35, 36; ʿnt : V : 36
mhy 138 : 9
1073 **mhyt** Gl.
1074 **mhmrt** see *hmr*

1075 **mhr** I
mhr 76 : I : 11; 123 : 7; 124 : 8, 9; 3 Aq : 6, 27; ʿnt : II : 11, 21
mhrh 3 Aq : 26, 38
mhrk 6 : 7
mhrm 2 Aq : VI : 40; ʿnt : II : 15, 28, 35

1076 **mhr** II
mhrh Gl.

1077 **mwt**
amt 75 : I : 23; 2 Aq : VI : 38
amtm 67 : I : 6; 121 : I : 3
ymtm 136 : 4
mt I 48 : 2; 49 : I : 13; 62 : 6; 67 : VI : 9, 23; 68 : 32, 34; 127 : 1, 13; 1 Aq : 91; 2 Aq : VI : 38
mt II 49 : II : 9, 12, 13, 25, 31; 49 : V : 4, 9, VI : 5, 7, 9, 17, 18, 20, 21, 23, 24, 30, 31; 51 : VII : 46, 47, VIII : 17, 24, 26, 30; 51 : frag. for VII : 15; 67 : I : 7, 13, II : 8, 11, 14, 19, 20, III : 9, 18, 25; ʿnt : III : 41; cf. *blmt*
mtwšr 52 : 8
mtk 125 : 15, 99
mtm I 54 : 12; 128 : V : 16; 2 Aq : VI : 38
mtm II 62 : 47; ʿnt pl. ix : II : 8
mtt 67 : V : 17; 68 : 1
tmt 136 : 3; Krt : 16
tmtn 125 : 4, 18, 22, 102, 105

1078 **mzy** Gl.

1079 **mzl**
ymzl Krt : 100, 188
mzl Krt : 99, 188
mzln 146 : 16, 18, 19, 20, 22

1080 **mznm** cf. *wzn*

1081 **mzʿ**
tmzʿ Gl.

1082 **mztn** cf. *bn mztn*

1083 **mḫrt** Gl.

1084 **mḫ** I Gl.

1085 **mḫ** II Gl.

1086 **mḫlpt** see *ḫlp*

1087 **mḫṣ**
imḫṣ 1 Aq : 196
imḫṣh 1 Aq : 14, 15
imtḫṣ 130 : 10; ʿnt : III : 43
ymḫṣ 49 : V : 2, 3
ymḫṣk ʿnt pl. x : IV : 27
ymḫṣn 49 : VI : 20
mḫṣ 51 : II : 24; 137 : 39; 1 Aq : 98, 153, 158, 166, 196, 201
mḫṣy 51 : II : 24
mḫṣm 115 : 15; 147 : 1; 170 : 9; 171 : 5; 300 : rev : 25
mḫṣt 1 Aq : 220, 221
tmḫṣ 67 : I : 1, 27; 68 : 9; 1 Aq : 201, 221; ʿnt : II : 7
tmḫṣh 3 Aq : 13
tmtḫṣ 49 : VI : 24; 131 : 4; ʿnt : II : 29
tmtḫṣh ʿnt : II : 19
tmtḫṣn ʿnt : II : 23

1088 **mḫr** Gl.

1089 **mḫš**
mḫšt ʿnt : III : 35, 38, 40, 42

1090 **mṭ** cf. *nṭy*

1091 **mṭḫr** cf. *ṭḫr*

1092 **mṭt**
mṭth Gl.

1093 **mṭr**
mṭr 126 : III : 5, 6, 7, 8
mṭrh 51 : V : 68
mṭrtk 67 : V : 8
tmṭr 1 Aq : 41
tmṭrn 49 : III : 6, 12

1094 **mẓa** cf. *mṣa*

1095 **my** I Gl.

1096 **my** II
mh ʿnt : II : 38, IV : 86
my 1 Aq : 50, 55
mym 1 Aq : 2, 151, 152, 190, 199
mmh 125 : 34

1097 **my** III Gl.

1098 **mk** I 51 : VI : 31, VIII : 12; 67 : II : 15; 124 : 25; 128 : III : 22; 2 Aq : I : 16, II : 39; Krt : 107, 221

1099 **mk** II
ymk Gl.

1110 **mk–r** Gl.

1111 **mks** cf. *ksy*

1112 **mkr**
mkr cf. *il mkr*
mkrm Gl.

1113 **mkšr** cf. *kšr*

1114 **ml'**
ymlu 126 : V : 28; 131 : 7; ʿnt : II : 25
mla 8 : 10; 51 : I : 39; 52 : 76; 75 : II : 45; 76 : III : 9
mlat 76 : II : 12
mli 76 : III : 8; 101 : 6
mlit 100 : 7
mlu 128 : V : 28
mlun 1 : 10
mmlat Krt : 114, 217
1115 **mlg**
mlgh Gl.
1116 **mld** Gl.
1117 **mlḥ**
mlḥ 24 : 11
mlḥt 51 : III : 42, VI : 57; 2 Aq : VI : 4; ʿnt : I : 7
1118 **mlk** I
amlk 49 : I : 34; 127 : 37, 53
amlkn 49 : I : 18
ymlk 49 : I : 27, 37; 68 : 32; 51 : VII : 50; 128 : V : 20
mlk 1 : 12; 5 : 2, 10, 23, 25; 6 : 26; 24 : 12; 26 : 9; 49 : I : 8; 51 : I : 5, III : 9, IV : 24, 38, 48, VII : 43, VIII : edge; 52 : 7; 62 : 56; 65 : 6, rev : 6; 68 : 10; 75 : II : 59; 77 : 2, 3, 17, 24; 113 : 5; 117 : 3, 18; 118 : 6, 13, 14, 16, 24, 26; 124 : 10; 125 : 40, 56, 59; 127 : 23, 37, 52; 129 : 5; 133 : 3, rev : 9; 138 : 13; 151 : 9; 329 : 13; 1 Aq : 152; 2 Aq : VI : 49; 3 Aq : rev : 27; Krt : 8, 41, 120, 131, 223, 279, 303; ʿnt : V : 44; ʿnt pl. vi : V : 16; cf. *abmlk*; *aḫtmlk*; *ilmlk*; *bn mlk*; *bn qnmlk*; *br ʿbdmlk*; *kṯrmlk*; *ʿbdmlk*; *pdrmlk*; *šmmlk*
mlkh 49 : V : 5; VI : 34; ʿnt : IV : 46
mlky 311 : 5
mlkym 115 : 5, 169 : rev : 2
mlkk 49 : VI : 28; 129 : 18
mlkm 17 : 11; 124 : 17
mlkn 51 : IV : 43; ʿnt : V : 40
mlknʿm 326 : I : 2
mlkt 52 : 7; 89 : 1; 117 : 1, 15; 118 : 28; 129 : 22, 22
nmlk 49 : I : 20, 26

1119 **mlk** II Gl.
1120 **mlm**– cf. *lm*–
mlʿn cf. *bn mlʿn*
1121 **mm** Gl.
mmy cf. *bn mmy*
1123 **mmʿ**
mmʿ Gl.
mmʿm 3 Aq : rev : 12; ʿnt pl. vi : V : 33
1124 **mn** Gl.
1125 **–mn** Gl.
1126 **mnipʿl** 150 : 15
1127 **mnḥ**
mnḥ 120 : 1, 4
mnḥyk 137 : 38
mnḥn 145 : 9
1128 **mnḫlabd** Gl.
1129 **mny**
mnyy cf. *bn mnyy*
mnt ʿnt : II : 36
mnth 49 : II 36; 2 Aq : I : 33
mnthn 77 : 46
mnty 73 : rev : 3
1129a **mnk** 43 : 4; 67 : V : 3
1130 **mn(m)**
mn 67 : IV : 23; 125 : 81, 82; ʿnt : III : 34
mnm 51 : I : 40; 54 : 16; 89 : 13; 95 : 16; 117 : 12; ʿnt : IV : 48
1131 **mnn**
ymnn 52 : 37
mmnnm 52 : 40, 44, 47
mnn 15 : 12; 80 : I : 5, II : 16; 84 : 9; 315 : 7
1132 **mnt** cf. *mny*
1133 **msgm** Gl.
1134 **msk**
ymsk 67 : I : 21; ʿnt : I : 17
msk 125 : 78; 1 Aq : 224
mskh ʿnt : I : 17
mnskn (?) 145 : 18
1135 **mss** Gl.
1136 **mʿ** I 49 : VI : 23; 51 : I : 21, VI : 4; 62 : I : 12; 127 : 41; 128 : III : 28; 129 : 15; 2 Aq : VI : 16; Krt : 229
mʿ II Krt : 87, 178
1137 **mʿd** 137 : 14, 17, 20, 31
1138 **mʿnt** Gl.

1139 **mʿr** Gl.
1141 **mǵd** Gl.
1142 **mǵy**
amǵy 122 : 7
ymǵ 128 : V : 18; 1 Aq : 156, 163
ymǵy 49 : I : 32; 75 : I : 36; 2 Aq : II : 46, V : 25; Krt : 210; ʿnt pl. x : V : 16
ymǵyk 100 : 8
ymǵyn 1 Aq : 170; 2 Aq : II : 24; Krt : 197
mǵ 52 : 75; ʿnt : VI : 11
mǵy 51 : II : 22, III : 23, V : 106; 121 : II : 6; 125 : 86; 128 : II : 11; ʿnt : III : 33
mǵyh 125 : 50
mǵyt 51 : II : 23, III : 24, IV : 31; 1 Aq : 211
mǵny 67 : VI : 5, 8; 101 : 8
mǵt 49 : II : 19
tmǵ 67 : VI : 28
tmǵy Krt : 108
tmǵyn 49 : I : 31; 101 : 5; 137 : 30; 1 Aq : 89; ʿnt : II : 17
1143 **mǵmǵ** Gl.
1144 **mǵrt** Gl.
1145 **mṣʾ**
ymẓa 75 : I : 37
ymṣi 49 : V : 4
mẓah 75 : II : 51, 52
1147 **mṣb**
mṣbt 113 : 39
mṣbty 312 : 9
1148 **mṣḫ**
ymṣḫn 49 : VI : 20
mṣḫ ʿnt pl. vi: V : 9
1149 **mṣlm** *mṣltm*; cf. *ṣll*
1150 **mṣṣ** Gl.
1151 **mṣr**
mṣr ʿnt pl. vi : V : 16
mṣry 311 : 6; cf. *bn mṣry*
mṣrn 308 : 8; cf. *bn mṣrn*
1153 **mṣt** Gl.
1155 **mqp** Gl.
1156 **mqr**
mqrt Gl.
1157 **mr** I 12 : 2, 8, 15; 120 : 16; 128 : IV : 23
mr II cf. *mrr* and *ay*

1160 **mr**– 33 : 3, 4; 135 : 3
1161 **mrʾ** I
ymru 51 : VII : 50
mriibrn 300 : rev : 5
mruibrn 113 : 64; 114 : 3; 115 : 12; 163 : 1; 169 : rev : 7; 400 : V : 17
mrim 300 : 20
mrum 113 : 69; 169 : 2; 400 : III : 11
mriskn 116 : 2
mruskn 113 : 63; 114 : 2; 115 : 13; 169 : rev : 6; 400 : V : 6
mruškn 82 : 3
1162 **mrʾ** II
mra 51 : V : 107
mrat 109 : 7; 171 : 2
mri 51 : VI : 57; 124 : 13; 171 : 8; ʿnt : I : 8
mria 51 : VI : 41; ʿnt : IV : 85
mrih/k 128 : IV : 4, 15
mrin 171 : 1
1163 **mril** 113 : 51
1164 **mrḥ**
mrḥ 49 : I : 23; 107 : 12
mrḥh 125 : 47, 51
1165 **mry**– 310 : 1, 2, 8, 9, 10, 11
1166 **mry**
mryn cf. *bn mryn*
mrynm Gl.
1167 **mrn**
mrn 172 : rev : 1
mrnn 323 : IV : 7; cf. *bt mrnn*
1168 **(m/t)rm** 75 : I : 11
1169 **mrṣ** 125 : 56, 59; 126 : V : 15, 18, 21, 27
1170 **mrr**
amr 6 : 27; 123 : 17
amrk 126 : IV : 2
ymr 2 Aq : I : 36
mr 6 : 24
mrrt 1 Aq : 156, 157, 195
tmr 6 : 26; 128 : II : 15
tmrn 1 Aq : 195
tmrnn 2 Aq : I : 25
1171 **mrṯ** Gl.
1172 **mrṯd** Gl.
1173 **mšḫ**
ymšḫ Gl.
1174 **mšmš** Gl.

1175 **mšṣṣ** ʿnt : IV : 45
1176 **mšr**
mšr Gl.
šmšr ʿnt : VI : 9
1177 **mt**
mt 52 : 40, 46; 121 : II : 8; 129 : 11; 2 Aq : I : 38, II : 28, V : 5, 15, 34, VI : 35, 36, 3 Aq : rev : 28; ʿnt : I : 13; cf. under *mwt*
mtm 76 : I : 10; 124 : 6; 125 : 3, 17, 102
mtbʿl 322 : V : 11
mtpi 1 Aq : 20, 36, 39, 47, 90, 175, 179, 180, 198; 2 Aq : I : 18, 36, 38, II : 28, V : 5, 14, 34, VI : 52
1179 **mtḫ** Gl.
1180 **mty** Gl.
1181 **mtn**
mtn 330 : 1
mtnbʿl 151 : 11; 154 : 3
mtny ʿnt pl. x : V : 12, 25
mtnh ʿnt pl. x : V : 14
mtnm 75 : II : 39
1182 **mtʿ**
tmtʿ Gl.
1183 **mtq**
mtqtm Gl.
1184 **mtqb** 112 : 10
1185 **mṯ**
mṯ 67 : V : 22
mṯt 127 : 16, 19; 128 : IV : 14, 26, V : 9, VI : 3; 2 Aq : V : 16, 22, 28; Krt : 143, 289
1186 **mṯl–**
tmṯl– Gl.
1187 **mṯk**
mṯkt Gl.
mṯrm 172 : 8
1188 **n** cf. *nn*
1190 **nap** Gl.
1191 **niṣ** Gl.
1192 **nit** Gl.
1194 **nbd** Gl.
1195 **nbdg** cf. *bn nbdg*
1196 **nbḫ** Gl.
nb cf. *bn nb*
1198 **nbk**
nbk cf. *npk*
mbk 49 : I : 5; 51 : IV : 21; 129 : 4; II Aq : VI : 47; ʿnt pl. vi : V : 14
1199 **nbl**
nbl 51 : IV : 45, 46; ʿnt pl. vi : V : 42
nbln ʿnt pl. vi : V : 42
1200 **nblat** cf. *blʾ*
1201 **nbt** I
nbt 12 : 2, 8; 97 : 15; Krt : 72, 165
nbtm 49 : III : 7, 13; 99 : 5
1202 **nbt** II Gl.
1203 **ngb** Gl.
1204 **ngh**
tgh Gl.
1205 **ngzḥn** cf. *bn ngzḥn*
1206 **ngḥ**
ynghn Gl.
1207 **ngr**
ngr Gl.
ngrt Gl.
1208 **ngš** Gl.
1209 **ngṯ**
mgṯ 127 : 18, 21
ngṯhm 75 : I : 40
tngṯh 49 : II : 6, 27
tngṯnh ʿnt pl. x : V : 4, 17
1210 **ndby**
ndby 64 : 38
ndbym 309 : 21
1211 **ndbd** 14 : 9
ndbn cf. *bn ndbn*
1212 **ndd**
yd 62 : 51
ydd 51 : III : 12; 76 : II : 17
ndd cf. *ydd* I ; 52 : 63; ʿnt : I : 8
td 51 : VI : 32
tdd 121 : II : 2; 122 : 4, 12; 123 : 6, 21; 124 : 10
1213 **ndy**
ydy 126 : V : 18, 21
ndt 3 Aq : rev : 26
tdy 127 : 47
1214 **ndʿ**
mndʿ Gl.
1215 **ndr**
ydr 123 : 16; Krt : 200
ndr 117 : 14; 128 : III : 29; cf. *bn ndr*
ndrh 128 : III : 26

tdr 128 : III : 23
1216 **nhmmt** cf. *hmm*
1217 **n(h/i)ṣ** cf. *n(i/h)ṣ*
1218 **nhqt** Gl.
1219 **nhr**
nhr 67 : I : 22; 68 : 4, 13, 15, 17, 20, 22, 25, 27, 30; 73 : 2; 129 : 7, 9, 21, 22, 23; 133 : rev : 9, 12; 137 : 7, 22, 26, 28, 30, 34, 41; Krt : 6; ʿnt : III : 36; cf. *ulnhr*
nhrm 49 : I : 5; 51 : II : 7, IV : 21; 2 Aq : VI : 47; ʿnt : pl. vi : V : 14, VI :6
1220 **nwg**
ng Gl.
1221 **nwḫ**
anḫn 49 : III : 18; 2 Aq : II : 13
nḫt 95 : 14
tnḫ 49 : III : 19; 2 Aq : II : 13
1222 **nwṭ**
ṭṭṭ 1 Aq : 94; ʿnt : III : 30
ṭṭṭn 51 : VII : 35
1223 **nwʿ**
ytʿn Gl.
1225 **nwrḏ** Gl.
1226 **nzl** Gl.
1227 **nḥ**
tnḥn Gl.
1228 **nḥbl** cf. *bn nḥbl*
nḥy cf. *mnḥ*
1229 **nḥl**
nḥlh 10 : 2, 4; 80 : I : 20, 22, II : 6, 20, 21; 152 : 4; 300 : 12; 303 : 3, 4, 10; 304 : 11; 314 : 3, 14, 15, 16, 17; 325 : 3; 326 : II : 6; 400 : I : 4, 7, 11, II : 10, 17, 21, III : 18, VI : 23, 24
nḥlhm 400 : I : 8, II : 11, 22, 23
nḥlth 51 : VIII : 14; 67 : II : 16; ʿnt : VI : 16
nḥlty ʿnt : III : 27, IV : 64
1230 **nḥm**
ynḥm 84 : 10; 321 : I : 37; 322 : V : 6; cf. *bn ynḥm*
mnḥm 309 : 5; 323 : III : 11
1231 **nḥt**
ynḥt 68 : 11, 18
nḥt 52 : 37
nḥtm 52 : 40, 43, 47
1232 **nḫl**
nḫlm Gl.
1233 **nḫnpt** cf. *ḫnp*
1234 **nḫr** cf. *anḫr*
1235 **nḫry** 317 : 2
1236 **nḫt** 51 : I : 34; 123 : 18; 127 : 24; ʿnt : IV : 47
1237 **nṭy**
mṭ 52 : 37, 40, 44, 47; 137 : 9; 1 Aq : 155, 162, 169
mṭm ʿnt : II : 15
1238 **nṭʿ**
mṭʿt 121 : II : 7
nṭʿn 76 : II : 24
1240 **nyr.**
nyr 77 : 16, 31; 125 : 37
nrt 49 : II : 24, III : 24, IV : 32, 41; 51 : VIII : 21; 62 : 8, 11, 13; 129 : 15; 1 Aq : 209, 211; ʿnt pl. vi : V : 25
1241 **nkyt** Gl.
1242 **nkl** 3 : 26; 77 : 1, 17, 32, 33, 37; cf. *bn nkl*; *bn ʿbdnkl*
1243 **nklb** cf. *bn nklb*
1244 **nkr** Gl.
1245 **nkt** Gl.
1246 **nmš** cf. *bn nmš*
1247 **n** or *nn*
n 67 : V : 5
nn 37 : 3; 67 : II : 7; 68 : 31; 127 : 10, 54; 1 Aq : 147; Krt : 110; ʿnt pl. vi : V : 9
1249 **nnu** Gl.
1248 **nnh** Gl.
1250 **nnr** cf. *bn nnr*
1251 **nsy**
yns 51 : III : 5
ysy 133 : rev : 7
1253 **nsk**
ask ʿnt : IV : 73
ysk 2 Aq : VI : 36
nsk cf. *dqnnsk*; 80 : II : 8; 169 : rev : 1
nskh ʿnt : II : 41, IV : 88
nskksp 113 : 74; 114 : 6; 115 : 14
nskm 90 : 4
sk ʿnt : III : 13, IV : 53
tskh ʿnt : II : 40
1254 **nsʿ**

ysᶜ Gl.
nsᶜk Gl.
1255 **nʿl** Gl.
1256 **nʿm**
nᶜm 6 : 18; 52 : 17; 67 : III : 15; 76 : III : 32; 126 : III : 9, V : 29; Krt : 145, 291; ʿnt : I : 19, III : 28; cf. *yknᶜm*
nᶜmh Krt : 145, 292
nᶜmy 49 : II : 19; 67 : VI : 5, 28; 2 Aq : II : 41
nᶜmm 52 : 1, 23, 58, 60, 67; 76 : II : 30, III : 19; 77 : 25
nᶜmn 64 : 41; 80 : I : 21; 128 : II : 15, 20; 311 : 6; 321 : I : 26, IV : 2; 2 Aq : VI : 32, 45; 3 Aq : 14; Krt : 40, 61, 306; cf. *bn nᶜmn*
nᶜmt 52 : 27; 76 : II : 16, III : 11; Krt : 144, 290
1257 **nʿr**
nᶜr cf. *bn nᶜril*
nᶜrm 113 : 60; 119 : 8; 169 : 12
nᶜrt 119 : 17
1258 **nǵsk** cf. *bn nǵsk*
1259 **nǵṣ**
tnǵṣn 68 : 17, 26
tǵṣ 51 : II : 19; ʿnt : III : 31
1260 **nǵr**
nǵr 51 : VIII : 14; 52 : 68, 69, 70, 73; 99 : 3
tǵrk 49 : IV : 48; 95 : 8; 101 : 2; 117 : 8; 138 : 4
nǵṯy 312 : 10
1261 **npḫ**
mpḫm Gl.
1262 **npy**
npy 2 : 4, 19, 20, 27
npym 170 : 10
npynh 51 : II : 5, 7
1263 **npk** 300 : rev : 13; Krt : 113 (written *nk*!), 216; cf. *nbk*
1264 **npl**
ypl 68 : 5
npl 67 : VI : 8; 75 : II : 37, 54
tpl 6 : 13; 137 : 15, 31
tpln 137 : 9
ttpl Krt : 21

1265 **npʿ**
apᶜ 1 Aq : 13
ynpᶜ 67 : IV : 8; 1 Aq : 65
ypᶜ 1 Aq : 69, 160
tpᶜ 1 Aq : 72
1266 **npṣ**
npṣ 145 : 16; 1 Aq : 206, 208
npṣh 164 : 1-7; 2 Aq : I : 34
npṣy 2 Aq : II : 23
npṣk 2 Aq : II : 8
npṣm 116 : 1
1267 **npq**
ittpq Gl.
1268 **npr** Gl.
1269 **npš**
npš 2 : 31; 5 : 12, 15; 9 : 1; 49 : II : 17, 18, III : 19; 67 : I : 7, 14, 18, V : 4; 119 : 29; 120 : 13; 127 : 34, 47; 134 : 9; 1 Aq : 198; 2 Aq : I : 37, II : 14; V : 17, 23; 3 Aq : 36; ʿnt pl. x : V : 3, 16
npšh 51 : VII : 48; 125 : 35; 127 : 11; 3 Aq : 25
npškm 2 : 23
npšmm ʿnt pl. vi : VI : 9
npšny 129 : 20
tnpš 9 : 16
1271 **nptt**– Gl.
1272 **nṣ** 12 : 5, 11; cf. *bn nṣ*
1273 **nṣb**
yṣb 125 : 52; cf. *yṣb*
mṣb 77 : 34
nṣb 2 Aq : I : 27, II : 16
nṣbtil 107 : 7
tṣb 2 Aq : VI : 13
1274 **nṣdn** cf. *bn nṣdn*
1275 **nṣḥy** Gl.
1276 **nṣp** Gl.
1277 **nṣṣn** Gl.
1278 **nṣrt** Gl.
1279 **nqb**
nqbnm 51 : IV : 11
nqbny 1 Aq : 54
1280 **nqd**
nqd 308 : 12
nqdm 62 : 55; 113 : 71; 169 : 5; 300 : rev : 12

1282 **nqly** 14 : 4; cf. *bn nqly*
1283 **nqmd** 2 : 20; 51 : VIII : edge; 62 : 56; 118 : 10, 14, 17, 18, 24
1284 **nqpt** Gl.
1285 **nqq** cf. *bn nqq*
1286 **nr** Gl.
1287 **nryn** 322 : VI : 3; cf. *bn nryn*
1288 **nrn** Gl.
1290 **nrt** cf. *nyr*
1291 **nš**
nšm Gl.
1292 **nš'**
yšu 49 : III : 17, V : 10, VI : 13; 51 : IV : 30, VII : 22; 52 : 37, 55; 67 : IV : 5, VI : 22; 76 : II : 13, 14, 19; 127 : 15, 40; 1 Aq : 117, 122, 131, 136, 148, 157, 164, 181; 2 Aq : II : 11; Krt : 99, 187
ytši 2 : 16, 17, 25, 33, 34
ytšu 1 Aq : 21; 2 Aq : V : 6
nša Krt : 167
nši 51 : II : 12; 1 Aq : 28, 76, 105, 120, 134; 2 Aq : V : 9, VI : 10
nšu 126 : III : 12
nšt 67 : I : 26
ša 51 : VIII : 5; 67 : V : 13; Krt : 75
šu 52 : 54, 65; 137 : 27; ʿnt pl. ix : II : 6
tša 67 : II : 16; 1 Aq : 89
tšan Krt : 303
tšu 49 : I : 11, II : 11, IV : 33; 51 : II : 21, V : 87; 62 : 14; 76 : II : 10, 11, 26, 27; 128 : III : 27; 129 : 15; 137 : 29; 1 Aq : 59; ʿnt : III : 32
1293 **nšb** Gl.
1294 **nšg(p/h)** Gl.
1295 **nšq**
anšq 68 : 4
ynšq 1 Aq : 64, 71
yšq 52 : 49, 55 (?)
nšq 52 : 51, 56; 2 Aq : I : 40
tnšq 124 : 4
1296 **nšr**
nšr 68 : 13, 15, 21, 24; 3 Aq : 17, 28
nšrk 6 : 8
nšrm 1 Aq : 32, 114, 118, 119, 121, 135, 148; 3 Aq : 20, 21, 32
1297 **ntb** Gl.
1298 **ntk**
ytk 3 : 12; 1 Aq : 82
tntkn Krt : 28
1299 **ntp** cf. *bn ntp*
1300 **ntt** cf. *bn ntt*
1301 **nṯk**
ynṯkn Gl.
1302 **nṯǵm** cf. *bn nṯǵm*
1303 **nṯq** Gl.
1304 **nṯt** Gl.
1305 **s'd**
sad 2 Aq : V : 20
sid ʿnt : I : 3
tsad 2 Aq : V : 30
1306 **sin** Gl.
1307 **s'p**
sip 13 : 6; cf. *bʿlsip*
s̀up 46 : 4
1308 **sbb**
ysb 1 Aq : 61, 68
nsb 51 : VI : 35
sb 51 : VI : 34
1309 **sbbyn** Gl.
1310 **sbl**
sbl 1 : 17; cf. *bn sbl*
sblt 126 : III : 3
1312 **sbn** Gl.
1313 **sgld** cf. *bt sgld*
1314 **sgr**
ysgr Krt : 184
msgr 100 : 11
sgr Krt : 96; cf. *br sgr*
sgryn cf. *bn sgryn*
sgrt ʿnt pl. vi : V : 20, 35
1315 **sdy**
sdy cf. *bn sdy*
s̀dy cf. *bn s̀dy*
1317 **shr**– Gl.
1318 **swn**
mswnh 128 : I : 4; Krt : 125
swn 329 : 8
1319 **swr** Gl.
1320 **szn** cf. *bn szn*
1321 **sḥṯ**
–*tsḥṯ*– Gl.
1322 **sḫr** cf. *bn sḫr*
1323 **synn** cf. *bn synn*

1324 **sk** Gl.
1325 **sk–** Gl.
1326 **skn**
skn 69 : 1; 75 : II : 53; 113 : 63; 115 : 13; 116 : 3; 143 : B : 1; 146 : 2; 169 : rev : 6; 400 : V : 6; 2 Aq : I : 27, II : 16; cf. *bʿlyskn*
śkn 82 : 3
sknm 75 : II : 53
sknt 51 : I : 43
šskn 51 : I : 21
1327 **sl–** 113 : 16; cf. *bn sl–*
1328 **slg**
slg cf. *bn slg*
slgyn cf. *bn slgyn*
ślgyn cf. *bn ślgyn*
1329 **slḫ** Gl.
1330 **slḫu** Gl.
1331 **slyn** cf. *bn slyn*
1332 **sll** Gl.
1333 **slm**
slm 5 : 21
mslmt 76 : III : 29
1334 **sln** Gl.
1335 **slpd** Gl.
1336 **smd** Gl.
1338 **smk**
smkt Gl.
1339 **snn**
snnt 77 : 15, 41; 2 Aq : II : 27, 31, 34, 36, 38, 40
1340 **snr**
snr 113 : 33
snry 64 : 36; 309 : 22
snrym 83 : 14
snrn cf. *bn snrn*
1341 **ss** cf. *bn ss*
1342 **ssg** Gl.
1343 **ssw**
śsw 55 : 2, 4, 6, 10; 56 : 17, 21, 32
ssw 321 : I : 14
sswm 121 : II : 3; Krt : 128, 140, 253, 272, 285
1344 **ssl** 14 : 6
ssm cf. *ʿbdssm*
1346 **sʿt** Gl.
1347 **sġsġ** Gl.
1348 **sġr** Gl.
1349 **sp**
sp 93 : 6, 10; 310 : 2, 3, 6, 7, 8, 9, 10, 11 12; Krt : 148, 295
spm 93 : 7, 8, 12, 13, 14, 15
1350 **spʾ**
ispa 49 : V : 20
ispi 67 : I : 5
yspi 121 : II : 10
spu 121 : II : 10; 2 Aq : I : 32, II : 4, 21
1351 **spd**
mšspdt Gl.
1352 **spl** Gl.
1353 **spsg** Gl.
1354 **spr**
ašsprk 2 Aq : VI : 28
yspr 52 : 57
mspr 2 : 27; 51 : V : 104; 1 Aq : side after 169
spr 8 : 2; 54 : 19; 62 : 53; 64 : 1; 73 : rev : 4; 127 : 59; 138 : 7; 147 : 1;148 : 1; 301 : I : 1; 302 : 1; Krt : 90; ʿnt pl. ix : II : 24
sprhn 77 : 45, 46
tspr 51 : VIII : 8; 67 : V : 15; 2 Aq : VI : 29
1356 **srd** cf. *bn srd*
1357 **srn**
srn 85 : 3; cf. *bn srn*
śrn cf. *bn śrn*
srnm 124 : 18
1358 **srr**
msrr Gl.
1359 **srt** cf. *bn srt*
1360 **ʿ(u/d)r** Gl.
1361 **ʿbd**
ʿbd 80 : II : 5; 144 : 3; 154 : 2; 321 : I : 18; Krt : 127, 139, 153, 155, 252, 271, 284, 299; ʿnt : I : 2; cf. *bn ʿbd*
ʿbdil 80 : I : 3
ʿbdilm 80 : II : 14; cf. *bn ʿbdilm*
ʿbdbʿl 146 : 21; 322 : II : 7; 323 : III : 3
ʿbdh 89 : 15; 2 Aq : I : 35
ʿbdḥgb 400 : I : 23
ʿbdḫ/y 325 : 4
ʿbdḫmn 322 : I : 3
ʿbdy cf. *bn ʿbdy*

ʿbdym 80 : II : 18; 300 : 18, rev : 15
ʿbdyrḫ 308 : 12; 315 : 10; 322 : II : 11; cf. *bn ʿbdyrḫ*
ʿbdk 67 : II : 12, 19; 137 : 36; 89 : 5; 95 : 4, 18
ʿbdlbit 321 : III : 38
ʿbdm 143 : B : 1; 163 : 3; 169 : 13; 324 : II : 10
ʿbdmlk 300 : 2, 16; 319 : 6; 323 : III : 2, IV : 8; 400 : I : 27; cf. *br ʿbdmlk*
ʿbdnkl cf. *bn ʿbdnkl*
ʿbdssm 73 : rev : 6
ʿbdʿn 322 : II : 1, V : 13
ʿbdšḫr cf. *bn ʿbdšḫr*

1362 **ʿbl** cf. *bn ʿbl*

1363 **ʿbṣ**
ʿbṣk ʿnt : III : 15, IV : 55, pl. ix : III : 10

1364 **ʿbq**
mʿbq Gl.

1365 **ʿbr**
ʿbr ʿnt pl. vi : VI : 7, 8; cf. *bn ʿbr*
ʿbrm 124 : 15

1366 **ʿbš**
yʿbš cf. *ṯbš*; 124 : 6, 7

1367 **ʿgw**
ʿgw cf. *bn ʿgw*
ʿgwn cf. *bn ʿgwn*

1368 **ʿgl**
ʿgl 67 : V : 4; ʿnt : III : 41
ʿglh 49 : II : 7, 28; 128 : I : 5
ʿglm 51 : VI : 42; 124 : 13
ʿglt 67 : V : 18

1369 **ʿgrt** cf. *bn ʿgrt*

1370 **ʿd** I 51 : V : 110, VI : 55; 52 : 67; 62 : 9; 75 : II : 46; 101 : 8; 130 : 5; 154 : 14 (?); 1 Aq : 176; Krt : 64, 158; ʿnt : II : 29

1371 **ʿd** II
ʿd 52 : 12
ʿdh 127 : 22

1372 **ʿd** III
ʿd 18 : 15
ʿdh 135 : 8
ʿdhm 52 : 70
ʿdk 67 : VI : 4; 62 : 47, 48
ʿdm 128 : VI : 2

1373 **ʿdt** Gl.

1374 **ʿdb**
yʿdb 23 : 11; 49 : I : 23; 51 : VI : 39; 52 : 63; 2 Aq : V : 27
yʿdbkm 51 : VIII : 17
ʿdb 51 : IV : 7, 12, 59, 60; 51 : VI : 39; 52 : 54, 65; 1 Aq : 155, 162, 169; 2 Aq : V : 16; Krt : 80, 172, 234; ʿnt pl. ix : II : 10, 11, pl. ix : III : 9
ʿdbk 3 Aq : 22
ʿdbnn 49 : II : 22
ʿdbt 51 : VI : 38
tʿdb 51 : V : 108; 2 Aq : V : 22
tʿdbnh 3 Aq : 33

1375 **ʿdd**
ytʿdd 51 : III : 11
ʿdd 51 : VII : 46; 322 : VI : 3
tʿddn 67 : IV : 25

1376 **ʿdy**
ʿdy 147 : rev : 5; 314 : 7; cf. *bn ʿdy*
ʿdyn Gl.

1377 **ʿdl** cf. *bn ʿdl*

1378 **ʿdm** Gl.

1379 **ʿdn** I
yʿdn 51 : V : 69
ʿdn 51 : V : 68, 69

1380 **ʿdn** II Gl.

1381 **ʿdn** III
ʿdn 75 : II : 53; 83 : 2; 314 : rev : 3; 315 : 6; 321 : I : 8; Krt : 85, 87, 176
ʿdnm 75 : II : 54

1381a **ʿdr** (?) 51 : VII : 7; cf. *bn ʿdr*

1383 **ʿḏb**
ʿḏbm 75 : II : 27
ʿḏbt 51 : V : 76, 92, 99

1384 **ʿḏr**
yʿḏr 85 : 4
yʿḏrk 3 Aq : rev : 14
yʿḏrn 322 : II : 10
ʿḏr 165 : 1

1385 **ʿwd**
ʿwd cf. *ʿd* II
tʿdt 137 : 22, 26, 28, 30, 41, 44

1387 **ʿwp**
ʿp 6 : 8; 76 : II : 11, 23; 3 Aq : rev : 34
ʿpmm 3 Aq : 42
ʿpt 124 : 11

tʿpn 1 Aq : 150

1388 **ʿwr** I Gl.

1389 **ʿwr** II

yʿr Gl.

1390 **ʿzz**

ʿz Gl.

1391 **ʿzn** Gl.; cf. *bn ʿzn*

1392 **ʿṭrṭrm** Gl.

1393 **ʿṭrptm** Gl.

1394 **ʿẓm** I 1 Aq : 111, 117, 125, 131, 140, 145

1395 **ʿẓm** II

ʿẓm 75 : I : 24; ʿnt : I : 12

ʿẓmny (?) 68 : 5

1396 **ʿyn** I

yʿn 68 : 34; 76 : II : 14, 15; 1 Aq : 12, 180; 2 Aq : V : 11, 11; Krt : 21, 22; ʿnt : I : 23, IV : 83, pl. x : V : 7, 20

ʿn 51 : II : 30, VII : 40, 53; frg. for 51 : VII : 53-8 : 6; 75 : II : 32; 77 : 8; ʿnt pl. vi : V : 21, pl. x : V : 6; cf. *abdʿn*; *ʿbdʿn*

ʿnh 51 : II : 12; 68 : 40; 76 : II : 13, 14, 26, 27; 1 Aq : 29, 76, 120, 134; 2 Aq : VI : 10, V : 9; Krt : 149

ʿnk 125 : 27

ʿnkn ʿnt pl. vi : VI : 3

ʿnm 68 : 22, 25

tʿn 51 : II : 14, 27; 76 : II : 27, 28; 127 : 58; 131 : 6; ʿnt : I : 15, II : 23

tʿny 137 : 26

1397 **ʿyn** II

ʿn 67 : I : 17; 75 : II : 60; 126 : III : 2, 4, 9

ʿnt ʿnt : IV : 80

1398 **ʿyr** I

ʿr 51 : VII : 9; 135 : 5; cf. *ʿyr* II

ʿrm 51 : VII : 7; 126 : V : 48; 127 : 6; Krt : 110, 212

1399 **ʿyr** II

ʿr 2 : 26, 35; 51 : IV : 9, 14; 1 Aq : 52, 57, 59; 3 Aq : rev : 32; Krt : 239

ʿrhm 123 : 24

1400 **ʿky** Gl.

1401 **ʿl** I

ʿl 3 : 46; 6 : 17; 51 : II : 33, III : 52, VII : 20, 50, VIII : 5; 52 : 12, 14, 15; 67 : IV : 22, V : 13; 76 : III : 6; 121 : I : 9; 125 : 11, 43; 126 : III : 11; 127 : 9, 39, 48; 128 : V : 23, VI : 6; 137 : 21; 145 : 2, 4, 6, 7, 8, 9, 10; 1 Aq : 14, 15, 32, 79, 81, 149, 150, 208; 2 Aq : II : 9, V : 36, VI : 6; 3 Aq : 23, 32, 34, 40; ʿnt pl. x : IV : 19; cf. *ʿly*

ʿlh 128 : IV : 17, 18; 2 Aq : VI : 31; 3 Aq : 30; ʿnt : II : 10

ʿly 52 : 3

ʿlk 49 : V : 11, 12, 13, 15, 16, 17, 18; 1 Aq : 158, 166

ʿln 51 : I : 38; 128 : V : 22; ʿnt : III : 31, V : 41, pl. vi : V : 22

ʿlnh 51 : IV : 44

1402 **ʿl** II Gl.

aʿl 6 : 23

yʿl 49 : I : 29; 76 : III : 12; 2 Aq : I : 15, 39

yʿlm 138 : 14

yšʿly 1 Aq : 185

ʿl 123 : 17; 126 : IV : 14; Krt : 73, 74; ʿnt : I : 21; cf. *ʿl* I

ʿly 51 : I : 24; 126 : III : 6, 8; Krt : 166

ʿln 49 : VI : 22

šʿly 70 : 1; 1 Aq : 192

šʿlyt 69 : 1

tʿl 6 : 20; 67 : IV : 20; 76 : III : 28, 30; 2 Aq : VI : 7

tʿln 121 : II : 4; 123 : 23

tšʿl Krt : 116

tšʿlynh 62 : 15

1403 **ʿllm**

ʿllmy Gl.

ʿllmn Gl.

1404 **ʿlm**

ʿlm 5 : 9; 22 : 7; 23 : 6; 51 : IV : 42; Krt : 55, 127, 140, 285; ʿnt : V : 39

ʿlmh 52 : 42, 46, 49; 1 Aq : 154, 161, 168

ʿlmk 67 : II : 12, 20; 68 : 10

1405 **ʿlṣ**

ʿlṣ 137 : 12

ʿlṣm 137 : 12

1406 **ʿlr** 14 : 5; cf. *bn ʿlr*

1407 **ʿm**

ʿm 6 : 19; 49 : I : 4, 23, 24, III : 32, V : 10, VI : 12, 25; 51 : IV : 21, 42,

V : 85, VIII : 2, 3, 4; 52 : 69; 67 : I : 10, 22, 23, 24, 25, II : 14; 77 : 16, 44, 48, 49; 84 : 4; 89 : 12; 95 : 15; 117 : 11; 118 : 2; 128 : I : 4; 129 : 4, 12; 130 : 20, 22; 133 : rev : 7; 137 : 14, 20; 138 : 8; 145 : 7 (?); 2 Aq : VI : 28, 29, 47; 3 Aq : 6; Krt : 124, 247; ʿnt : III : 21, IV : 81, pl. vi : V : 39, pl. ix : III : 14

ʿmh 62 : 8

ʿmy 54 : 11, 19; ʿnt : III : 16, IV : 55, 56, pl. ix : III : 11; cf. *ʿmy* below

ʿmk 67 : V : 10, 11

ʿmm Krt : 302; cf. *ṯmm*

ʿmn 77 : 32; 117 : 15; 118 : 7, 11; ʿnt : III : 22

ʿmnh 67 : V : 20

ʿmny 95 : 10; 117 : 9

1408 **ʿmm**

ʿmh 2 Aq : I : 28

ʿmy 323 : V : 5; 2 Aq : II : 17; cf. *bn ʿmy*

1409 **ʿmyn** Gl.

1410 **ʿmmym** Gl.

1411 **ʿms**

yʿmsnh 51 : V : 73

mʿmsh 2 Aq : I : 31

mʿmsy 2 Aq : II : 20

mʿmsk 2 Aq : II : 6

ʿms 62 : 12

1412 **ʿmq** I Gl.

1413 **ʿmq** II Gl.

1414 **ʿmr** Gl.

ʿmtḏl cf. *bn ʿmtḏl*

1415 **ʿn** I cf. *ʿyn* I and II and *ʿny*

1416 **ʿn** II cf. *bn ʿn*; *ʿyn* II; *ʿbdʿn*

1417 **ʿn** III Gl.

1419 **ʿny**

yʿn 49 : I : 21, 33; 51 : IV : 58, V : 111, 120, 125, VI : 1, 14, VII : 14, 37; 67 : I : 11; 77 : 24, 30; 121 : II : 7; 122 : 8; 126 : IV : 10, V : 23; 128 : II : 12; 129 : 18, 24; 1 Aq : 197, 214, 218; 2 Aq : VI : 20, 33; 3 Aq : 11; 3 Aq : rev : 15; Krt : 281; ʿnt pl. ix : III : 17, pl. x : IV : 13

yʿny 76 : III : 5; 125 : 24, 83; 127 : 54; 128 : I : 8; ʿnt pl. vi : V : 33

yʿnyn ʿnt : IV : 49

nʿn 77 : 31

mʿn 132 : 9; 142 : 2

mʿnk 54 : 15

ʿn 49 : I : 25, II : 13; 51 : VI : 7; 68 : 7; ʿnt : IV : 49

ʿnhm 52 : 73

ʿny 125 : 92; 137 : 28

ʿnyh 126 : V : 13, 19, 22

ʿnynn 2 Aq : VI : 32

tʿn 49 : I : 19, III : 41, IV : 45; 51 : III : 27, 32, IV : 40, V : 64; 128 : IV : 26, VI : 3; 1 Aq : 190; 2 Aq : VI : 9, 25, 52; 3 Aq : 16; 3 Aq : rev : 6; pl. vi : IV : 6, pl. vi : V : 27, 37

tʿny cf. same form under *ʿyn* I

tʿnyn 52 : 12; 76 : II : 3; ʿnt pl. x : IV : 16

1420 **ʿnmk**

ʿnmk Gl.

ʿnmky Gl.

1421 **ʿnn**

ʿnn 51 : IV : 59, VIII : 15; 76 : II : 33; ʿnt : IV : 76

ʿnnh 137 : 35

1422 **ʿnq** Gl.

1423 **ʿnqpat** Gl.

1424 **ʿnt** I Gl.

1425 **ʿnt** II

ʿnt 1 : 17; 3 : 16; 6 : 19, 30; 49 : II : 8, 14, 27, 30, III : 23, 25, IV : 30, 36, 37, 38, 45; 51 : II : 15, 24, III : 24, 33, 39, IV : 18, V : 82, 87; 62 : 15; 67 : VI : 26; 76 : I : 1, 14, II : 10, 15, 21, 26, 31, III : 3, 10; 123 : 8; 124 : 9, 11; 132 : 4, 7; 134 : 2; 1 Aq : 5, 92; 2 Aq : VI : 26, 41; 1 Aq : 4, 5, 12, 16 32 38; 3 Aq : rev : 20; Krt : 145, 291; ʿnt : II : 4, 5, 17, 24, 26, 33, III : 6, 8, 29, IV : 65, pl. vi : V : 27, 37, pl. ix : II : 15

ʿntltn 9 : 17

ʿntm 5 : 18, 20

ʿntn cf. *bn ʿntn*

1426 **ʿnt** III 49 : IV : 26, 27

1427 **ʿs–** 51 : IV : 34
1428 **ʿp** cf. *ʿwp*
1429 **ʿpʿp**
ʿpʿph Gl.
1430 **ʿpp**
tʿpp Gl.
1431 **ʿpr**
ʿpr 67 : VI : 15; 68 : 5; 75 : I : 24; 76 : II : 25; 2 Aq : I : 29, II : 2, 17; ʿnt pl. ix : II : 19, 20, pl. x : IV : 8
ʿprm ʿnt : III : 12, IV : 53, 67, 73; see *ʿprm* below
1432 **ʿprm** cf. *ḫlbʿprm*; see *ʿpr* above
1433 **ʿpṯn** Gl.
1434 **ʿpṯrm** Gl.
1435 **ʿṣ**
ʿṣ 3 : 27; 20 : 2; ʿnt : III : 20, IV : 58
ʿṣh 51 : VI : 18, 20
ʿṣk ʿnt : III : 15, IV : 55, pl. ix : III : 10
ʿṣm 51 : III : 44, IV : 38; 52 : 66; 67 : II : 6; 126 : III : 3
1436 **ʿṣr**
ʿṣr 3 : 40; 12 : 5; 23 : 5, 8; 52 : 38, 41, 44, 47, 62; Krt : 70, 163; ʿnt : IV : 45; cf. *bn ʿṣr*
ʿṣrm 1 : 21; 9 : 8; 19 : 17; 23 : 7; 49 : II : 36; frg. for VII : 53-8 : 12; 134 : 5
1437 **ʿq**
ʿqh Gl.
1438 **ʿqb**
mʿqb 113 : 31
mʿqby 64 : 16; 83 : 4
mʿqbk 3 Aq : rev : 19
ʿqbm 2 Aq : VI : 20
ʿqbt 2 Aq : VI : 23
1439 **ʿqltn** Gl.
1440 **ʿqq**
ʿqqm Gl.
1441 **ʿr** cf. *ʿyr*; *ʿwr*; *ʿrr*
1445 **ʿrb**
ašʿrb Krt : 204
yʿrb 67 : II : 3; 125 : 12; 127 : 40; Krt : 26
mʿrb 1 Aq : 210
mʿrby 64 : 26; 65 : 10; 113 : 57; 321 : I : 25
mʿrbym 91 : 6
nʿrb 300 : rev : 13
ʿrb 9 : 9; 25 : 4; 52 : 62, 71; 128 : II : 9, V : 18; 1 Aq : 171; 2 Aq : II : 26; Krt : 65, 159; ʿnt pl. x : V : 24
ʿrbm 52 : 7, 12, 18, 26
ʿrbt 143 : A : 2
tʿrb 5 : 1; 121 : I : 4; 125 : 112, 113; 131 : 3; ʿnt pl. x : V : 26
tʿrbm 77 : 18
tʿrbn 5 : 9
tšʿrb 128 : II : 22, IV : 17, 18
1446 **ʿrgz**
ʿrgz 56 : 10; 113 : 41
ʿrgzy 309 : 27
ʿrgzm 77 : 43; 121 : I : 8
1447 **ʿrẓ** Gl.
1448 **ʿry**
ʿry– 32 : 3
ʿrym Gl.
1449 **ʿrm**
ʿrm 64 : 5; 113 : 22
ʿrmy 327 : rev : 3
ʿrmn cf. *bn ʿrmn*
1450 **ʿrs**
nʿrs Gl.
1451 **ʿrpt**
ʿrpt 51 : III : 11, 18, V : 70, 122, VII : 19, 57, frag. for VII : 53-8 : 11; 67 : II : 7; 68 : 8, 29; 76 : I : 7, III : 37; 1 Aq : 39, 40, 44; ʿnt : II : 40, III : 35, IV : 48, 50
ʿrptk 67 : V : 7
1452 **ʿrr**
yʿrr 77 : 30
tʿrrk 51 : IV : 39
1453 **ʿrš**
ʿrš 127 : 35, 36, 51, 52; 2 Aq : II : 41, 42
ʿršh 2 Aq : I : 39
ʿršm Krt : 98, 186
1454 **ʿrṯ** Gl.
1455 **ʿšy** Gl.
1456 **ʿšq** cf. *bn ʿšq*
1457 **ʿšr** I
ʿšr 58 : 1, 3; 92 : 1; 93 : 10; 109 : 7; 110 : 2, 3, 4, 6, 7, 9, 11, 12; 112 : 1, 10, 15; 145 : 6; 170 : 8, 9; 171 : 3, 4; 172 : 5; 306 : 15; 329 : 9

ʿšrh 1 : 10; 65 : 5, 8
ʿšrm 3 : 43; 41 : 5; 99 : 2, 3, 4; 110 : 6; 116 : 4; 118 : 20; 119 : 29; 120 : 11, 13, 14; 148 : 2; 169 : 3; 171 : 1, 5; 310 : 7
ʿšrt 159 : 7

1458 **ʿšr** II
yʿšr 2 Aq : VI : 30, 31; ʿnt : I : 9
ʿšr 5 : 2; 125 : 40, 62; 310 : 8, 9, 11
ʿšrm 113 : 68; 115 : 2; 300 : 30
ʿšrt 125 : 41, 62

1459 **ʿtd**
tʿtd Gl.

1460 **ʿtk**
ʿtk Gl.
ʿtkt Gl.

1461 **ʿtq**
yʿtqn 49 : II : 5, 26
nʿtq 125 : 2, 16, 100
ʿtq 125 : 5, 19, 103
šʿtqt 127 : 1, 2, 13
tʿtqn ʿnt pl. ix : II : 12

ʿtr 13 : rev : 4

1462 **ʿṯlṯ** cf. *bn ʿṯlṯ*

1463 **ʿṯq**
ʿṯqbm Gl.
ʿṯqbt Gl.

ʿṯrt 9 : 10 (?)

1465 **ʿṯtr**
ʿṯtr 49 : I : 26, 27, 28, 33, 35; 77 : 28; 129 : 12, 24
ʿṯtry cf. *bn ʿṯtry*
ʿṯtrn 322 : II : 4
ʿṯtrt 5 : 1; 17 : 3; 19 : 16; 22 : 6; 23 : 3, 4; 68 : 28; 127 : 56; 137 : 8, 40; 170 : 6; Krt : 146, 293

1466 **ǵ-** Gl.

1467 **ǵb** cf. *bn ǵb*

1468 **ǵdd**
tǵdd Gl.

1469 **ǵdyn** Gl.

1470 **ǵḏ**
tǵḏ Gl.

1471 **ǵwr**
ǵr 49 : II : 16; 51 : VII : 5, 37, VIII : 2, 3, 5; 62 : 2; 67 : V : 12, 13, VI : 17, 26; 76 : III : 28, 29, 32; 125 : 6, 107, 117; 126: IV : 17; 137 : 20; 1 Aq : 173, 184; ʿnt : II : 5, III : 27, pl. ix : III : 12, pl. x : V : 12
ǵrh 6 : 10
ǵry ʿnt : III : 26
ǵrk 6 : 9
ǵrm 51 : V : 77, 93, 100, VII : 32; 127 : 44

1472 **ǵz**
ǵz 127 : 30, 43
ǵzm 127 : 30, 43

1473 **ǵzr**
ǵzr 49 : VI : 31; 51 : VII : 47, VIII : 32; 52 : 17; 67 : I : 8, 14, II : 9; 119 : 19, 20; 121 : II : 8; 125 : 31, 46, 58 83, 95; 1 Aq : 20, 36, 48, 67, 73, 91, 153, 159, 166, 174, 178, 206, 221; 2 Aq : I : 18, 36, 38, II : 28, V : 5, 14, 34; VI : 20, 26, 33, 34, 42, 51; 3 Aq : 14; 3 Aq : rev : 21; ʿnt : I : 20
ǵzrm 52 : 14; 119 : 16, 23; 124 : 7; 1 Aq : 181; ʿnt : II : 22

1474 **ǵḥpn** cf. *bn ǵḥpn*

1475 **ǵẓy**
mǵẓ 51 : I : 23, frag. to restore VII: 53-8 : 2; 67 : V : 24
nǵẓ 51 : III : 35
ǵẓtm 51 : III : 31
tǵẓy 51 : II : 11
tǵẓyn 51 : III : 26, 29
tǵẓyt 62 : 44

1476 **ǵyk** Gl.

1477 **ǵyrm** Gl.

1479 **ǵl** 300 : 3; 1 Aq : 77

1480 **ǵlil** Gl.

1481 **ǵly**
yǵly 1 Aq : 31
ǵly 1 Aq : 160
ǵlt 127 : 32, 45
ǵltm 137 : 24
tǵl ʿnt : I : 1
tǵly 137 : 23

1482 **ǵll**
ǵll 124 : 19
tǵll Gl.

1483 **ǵlm**
ǵlm 76 : II : 3; 125 : 50; 127 : 39; 128 : II : 20, 25; 129 : 11; 133 : rev : 10;

Krt : 19, 40, 61, 153, 299, 306; cf. *bn ǵlm*
ǵlmh 49 : VI : 8; 51 : II : 29, frag. to restore VII : 53-8 : 5
ǵlmk 67 : V : 9
ǵlmm 51 : V : 105; 75 : II : 35; 137 : 13, 19, 39; ʿnt : II : 4, III : 5, IV : 49, pl. vi : V : 23
ǵlmn cf. *bn ǵlmn*
ǵlmt 1 : 19; 51 : VII : 54, frg. for VII : 53-8 : 7; 77 : 7; 128 : II : 22; Krt : 204

1484 **ǵlp**
ǵlph 1 Aq : 19
ǵlpy 1 Aq : 204
ǵm 169 : rev : 15, 16 (?)

1485 **ǵmʾ**
ǵmu 51 : IV : 34
ǵmit 51 : IV : 34

1486 **ǵmrm** Gl.
1487 **ǵmšd** Gl.
1488 **ǵnbm** Gl.
1489 **ǵʿp** Gl.
1490 **ǵpr**
yǵpr Gl.
1491 **ǵṣ** Gl.
1492 **ǵṣr** Gl.
1493 **ǵr** I cf. *ǵwr*
1495 **ǵr** II Gl.
ǵr III
yǵr Gl.
ǵr IV
pẓǵmǵr 1 Aq : 184
1496 **-ǵrbtym** Gl.
1497 **ǵrgn** cf. *bn ǵrgn*
1498 **ǵrmn** Gl.
1499 **ǵrn** cf. *bn ǵrn*
1500 **ǵt**
tǵt– Gl.

1501 **p** I 49 : I : 2, VI : 10; 51 : IV : 59, 60; 67 : I : 26, IV : 1; 76 : III : 11; 100 : 4; 138 : 12; 1 Aq : 154, 154, 162, 168; 2 Aq : I : 16; Krt : 142, 287

1502 **p** II
ph 8 : 3; 51 : VIII : 18; 68 : 6; 1 Aq : 9, 75, 113, 127, 141
phm 52 : 62, 64
py 49 : II : 22; 77 : 45

1503 **p** III 54 : 12
1504 **pʾ**
pat 52 : 68; 75 : I : 35; Krt : 105, 193; cf. *ʿnqpat*
paty 314 : rev : 8
pit 6 : 15; 62 : 38; 2 Aq : II : 9
pity cf. *bn pity*
1504a **pʾy**
ipi Gl.
1505 **pid**
ildpid 49 : I : 21, III : 4, 10, 14; 51 : II : 10, III : 31, IV : 58; 67 : VI : 12; 126 : IV : 10, V : 23; 128 : II : 14; ʿnt pl. ix : III : 22
ḏpid 77 : 45
1506 **palt**
palt 1 Aq : 65
palth 1 Aq : 61
1507 **pamt** 3 : 43, 52; 5 : 7, 26; 21 : 3; 52 : 20
1508 **pit** cf. *pʾ*
1509 **pbl** Krt : 119, 125, 222, 228, 302
1510 **pgam** Gl.
1511 **pgr** Gl.
1513 **pd**
pd 1 Aq : 81
pdm 1 Aq : 80
1514 **pdu** Gl.
1516 **pdy**
pdy 14 : 3; 308 : 23; 315 : 12; cf. *bn pdy*
pdym 83 : 12
1517 **pdyn** Gl.
1518 **pdk**
ipdk Gl.
1519 **pdn** cf. *bn pdn*
1520 **pdr** I
pdr 51 : VII : 8, 10; ʿnt : I : 25
pdrm 51 : VII : 8; 127 : 7; Krt : 111, 213
1521 **pdr** II
pdr 22 : 4; 23 : 5; 101 : 4
pdrmlk 29 : 3
1522 **pdry** 1 : 15; 51 : I : 17, IV : 55, VI : 10; 67 : V : 10; 77 : 26; 130 : 11; ʿnt : I : 23, III : 3, pl. vi : IV : 3
1523 **pdrn** 321 : III : 46; cf. *bn pdrn*
1524 **pḏ**
pḏ cf. *bn pḏ*
pḏh 137 : 19, 35

1526 **ph**
yph 1 Aq : 62, 63, 68, 120
yphn 1 Aq : 135; 2 Aq : V : 9
yphnh 51 : IV : 27
ph 128 : III : 28
pht 49 : V : 12, 14, 15, 17, 18
phth 49 : V : 16
tp 1 Aq : 217
tph 125 : 53; ʿnt : III : 29
tphhm 137 : 22
tphn 51 : II : 12; 137 : 22; 1 Aq : 29, 76; 2 Aq : VI : 10
tphnh ʿnt : I : 14
1527 **phgl** Gl.
1528 **phy** Gl.
1529 **pwn** Gl.
1530 **pwq** I
pq 51 : VI : 56; 67 : IV : 13
špq 51 : VI : 47, 48, 49, 50, 51, 52, 53, 54
1531 **pwq** II
ypq Gl.
1532 **pzny** cf. *bn pzny*
1533 **pḥl** 51 : IV : 5, 9, 15; 1 Aq : 53, 58, 60
1534 **pḥm**
pḥm 52 : 39; 118 : 22, 27, 29, 31, 33, 39
pḥmm 51 : II : 9; 52 : 41, 45, 48
1535 **pḫd** Gl.
1536 **pḫr**
mpḫrt 2 : 17, 34; 107 : 3
pḫyrh Krt : 25
pḫr 1 : 7; 17 : 7; 21 : 2; 51 : III : 14; 52 : 57; 128 : III : 15; 137 : 14, 15, 20, 31
1537 **ptḏn** cf. *bn ptḏn*
1538 **pṭr**
pṭry Gl.
-py 172 : rev : 3
1539 **pẓǵm** Gl.
1540 **pl** 49 : IV : 25, 26, 36, 37; 154 : 15
1541 **pl-** Gl.
1542 **plwn** Gl.
1543 **plzn** Gl.
1544 **plṭ**
ypltk Gl.
1545 **plk**
plk 51 : II : 4
plkh 51 : II : 3, III : 3

pll cf. *bn pll*
1546 **pls**
pls cf. *bn pls*
plsy 54 : 2
1547 **plṯt** Gl.
1548 **pmn** Gl.
1549 **pn**
pn 75 : I : 33; 117 : 17; 129 : 16; 133 : rev : 6; 136 : 6
pnh 51 : V : 108; 67 : I : 14; 125 : 52; ʿnt : III : 31, IV : 86
pnhm 1 Aq : 84
pnwh ʿnt : I : 6
pnk 67 : V : 12; 127 : 48
pnm 49 : I : 4, IV : 31; 51 : IV : 17, 20, V : 84, VIII : 1, 11; 67 : I : 10, II : 14; 75 : II : 4, 38; 76 : II : 8; 129 : 4; 2 Aq : II : 9; Krt : 301; ʿnt : IV : 81, pl. vi : VI : 13
pnnh 76 : II : 17; ʿnt : IV : 84
1550 **pndr** cf. *bn pndr*
1551 **pndḏn** Gl.
1552 **pndy** Gl.
1554 **pnm** Gl.
1555 **pnn**
pnt ʿnt : III : 31
pnth 68 : 17,26
1556 **pnṯ** Gl.
1557 **ps-** Gl.
1558 **psḫn** Gl.
1559 **psl**
psl 300 : rev : 4
pslm Gl.
psltm 62 : 2; 67 : VI : 18
pʿl cf. *mnipʿl*
1560 **pʿn**
pʿn 49 : I : 8; 51 : IV : 25, VIII : 26; 75 : II : 34; 89 : 6; 95 : 5; 117 : 5; 137 : 30; 2 Aq : II : 11; ʿnt : III : 6, pl. vi : V : 23, pl. vi : VI : 18
pʿnh 49 : I : 31, III : 15; 51 : IV : 29; 75 : I : 40; 76 : II : 18; 1 Aq : 116, 130, 144
pʿny 1 Aq : 109, 124, 138
pʿnk ʿnt : III : 16, IV : 55, pl. ix : II : 1
pʿnm 5 : 24, 25; 51 : II : 16, V : 83; ʿnt : III : 29

1561 **pʿṣ** 300 : 29; 306 : 3; cf. *bn pʿṣ*
1562 **pʿr**
ypʿr 68 : 11, 18; 75 : I : 28
pʿr 6 : 32; ʿnt pl. x : IV : 15, 29
pʿrh 75 : II : 33
pʿrt ʿnt pl. x : IV : 19
tpʿr ʿnt pl. x : IV : 17
1563 **pǵd̠n** cf. *bn pǵd̠n*
1564 **pǵyn** cf. *bn pǵyn*
1565 **pǵm** cf. *bn pǵm*
1566 **pǵt**
pǵt 43 : 6; 119 : 2, 6, 7, 11, 18, 20, 21, 26, 28; 125 : 67; 128 : III : 7, 8, 9; 1 Aq : 34, 50, 55, 190, 212, 217
pǵtm 119 : 19
1567 **ppn** cf. *bn ppn*
1568 **pprn** Gl.
1569 **pq** cf. *pwq* I
1570 **pqd**
ypqd Gl.
1571 **pr** cf. *pry*, *prr* I and II
1574 **prbḫṯ** Gl.
1575 **prgl** Gl.
1576 **prdmn** Gl.
1577 **prdn** Gl.
1578 **prwsdy** Gl.
1579 **prḫ**– Gl.
1580 **pr(ẓ/pʿ)** Gl.
1581 **pry**
pr 3 : 23; 27 : 5; 30 : 1; 56 : 15, 29; 67 : II : 5; see *kpr*
prk 48 : 6; 67 : V : 2
1582 **prkl** cf. *bn prkl*; 48 : 6 (?)
1583 **prln** 62 : 54; cf. *atnprln*
1584 **prn** 146 : 3, 4, 5, 6, 7, 8, 9, 10, 11, 12, 13, 14; 312 : 10; cf. *bn prn*
1585 **prs**– 123 : 15
prsn cf. *bn prsn*
1586 **prsḥ**
yprsḥ Gl.
1587 **prʿ**
prʿ 124 : 24
prʿm 2 Aq : V : 37, 38
prʿt frg. for VII : 53-8 : 9
1588 **prǵṯ** 171 : 7
1589 **pr(pʿ/ẓ)** 6 : 12
1590 **prpr** 321 : I : 44
1591 **prṣ** Gl.
1592 **prq**
yprq Gl.
1593 **prr** I
pr 1 Aq : 120
tpr 1 Aq : 134
1594 **prr** II
apr Gl.
1595 **prr** III
prt Gl.
1596 **prš'**
prš– 102 : 15
prša 51 : I : 36
1599 **prt**
prt 315 : 4; cf. *prr* III
prtn 152 : rev : 6; cf. *bn prtn*
1600 **prṯ** Gl.
–**pš** 149 : 3
1601 **pšʿ** Gl.
1602 **pty**
ypt Gl.
1603 **ptḥ**
yptḥ 51 : VII : 17, 19, 25
ptḥ 51 : VII : 27; 52 : 70; 128 : IV : 5
tptḥ 127 : 11; 128 : IV : 16
1604 **ptq**
tptq Gl.
1605 **pṯn** Gl.
1606 **pṯt** Gl.
1607 **ṣin** 5 : 7; 12 : 2; 22 : 5; 51 : VI : 41; 62 : 22; 67 : III : 22, 23; 124 : 12; 171 : 2; 172 : 9; 329 : 19
1608 **ṣb'**
ṣba 125 : 36
ṣbi 1 Aq : 209; Krt : 86, 177
ṣbia 128 : V : 19
ṣbim 131 : 5; ʿnt : II : 22
ṣbu 3 : 47, 53; 83 : 1, 7, 10; Krt : 86
ṣbuk Krt : 88
1609 **ṣbṭ**
mṣbṭm Gl.
1610 **ṣbrt** 49 : I : 12; 51 : II : 25, IV : 49; 52 : 57; ʿnt pl. vi : V : 45
1611 **ṣbʿ** cf. *uṣbʿt*
1612 **ṣg** Gl.
1613 **ṣd** cf. *ṣwd*

1614 **ṣdynm** Gl.
1615 **ṣdq**
ṣdq 32 : 5
ṣdqil cf. *bn ṣdqil*
ṣdqh Krt : 12
ṣdqm 147 : rev : 3; 321 : II : 6
ṣdqn 64 : 27; 323 : III : 8, 10; 333 : 4
ṣdqšlm 119 : 23; 142 : 4; 300 : 28
1616 **ṣhl**
yṣhl Gl.
1617 **ṣwd**
aṣd 49 : II : 15
yṣd 75 : I : 34
mṣdh Krt : 171
mṣdk Krt : 79
ṣd 124 : 11; 2 Aq : V : 39; 3 Aq : rev : 27
ṣdk 2 Aq : V : 37, 38
tṣd 52 : 16; 67 : VI : 26
tṣdn 52 : 68; 2 Aq : VI : 40
1618 **ṣwm**
yṣm Gl.
1619 **ṣwr**
tṣr 125 : 87, 88, 96; Krt : 133; see *ṣrr*
1620 **ṣḥ** cf. *ṣyḥ*
1621 **ṣḥa**(?) Gl.
1622 **ṣḥq**
yṣḥq 49 : III : 16; 51 : IV : 28; 2 Aq : II : 10
ṣḥq 51 : V : 87, VII : 21; 3 Aq : rev : 22; ᶜnt : II : 25
tṣḥq 2 Aq : VI : 41
1623 **ṣḥr** Gl.
1624 **ṣḥrr**
ṣḥrrm 51 : frg. for VII : 53-8 : 10
ṣḥrrt 49 : II : 24; 51 : VIII : 22; 52 : 41, 45
ṣḥrt 52 : 48
1626 **ṣyḥ**
aṣḥ 67 : III : 9; 123 : 9, 19
aṣḥkm 122 : 2
yṣḥ 49 : I : 15, II : 37, III : 17, 22, V : 11, VI : 13; 51 : IV : 30, 47, 48, VII : 22, 53, frg. for 51 : VII : 53-8 : 6; 67 : II : 21, VI : 22; 76 : II : 19; 126 : IV : 7; 127 : 16, 41; 1 Aq : 49, 107, 118, 122, 132, 136, 148, 157, 165, 182; 2 Aq : II : 12, V : 15; Krt : 238; ᶜnt : V : 43, 44, pl. ix : II : 17
ṣḥ 51 : V : 75, 91, 98, VI : 44, 45; 125 : 28; 126 : IV : 4; 128 : IV : 6; ᶜnt pl. x : IV : 2, 4
ṣḥhm 52 : 69
ṣḥt 51 : VIII : 42
ṣḥtkm 128 : IV : 27, V : 10, VI : 4
tṣḥ 49 : I : 11, II : 11, IV : 33, VI : 23; 51 : II : 21, V : 88; 52 : 32, 33 ; 62 : 11; 67 : II : 17; 125 : 75; 2 Aq : VI : 16, 53; 3 Aq : 7; 3 Aq : rev : 23; ᶜnt : III : 33
tṣḥn 52 : 39, 43, 46; Krt : 304
1627 **ṣly**
yṣly Gl.
1628 **ṣll**
mṣlt 75 : II : 62
mṣltm ᶜnt : I : 19
1629 **ṣm** cf. *ṣwm*
1630 **ṣmd** I
ṣmd 49 : V : 3; 51 : II : 4; 68 : 15, 23; 107 : 14
ṣmdm 52 : 10; 68 : 11, 18; 317 : 1, 3; 318 : 1, 9
1631 **ṣmd** II
ṣmd 51 : IV : 5, 9; 1 Aq : 53
tṣmd 121 : II : 3; 1 Aq : 58
1632 **ṣmd** III
yṣmdnn Gl.
1633 **ṣmḥ** cf. *bn yṣmḥ*
1634 **ṣml** 1 : 14; 1 Aq : 135, 136, 142
1635 **ṣmq**
ṣmqm Gl.
ṣmq– 325 : 8
1636 **ṣmrt** cf. *bn ṣmrt*
1637 **ṣmt**
ṣmt 75 : II : 35; 3 Aq : 38
tṣmt 68 : 9; ᶜnt : II : 8
ṣnn
ṣnth 5 : 13
1638 **ṣnr**
ṣnr 14 : 10; cf. *bn ṣnr*
ṣnrn cf. *bn ṣnrn*
1639 **ṣᶜ** 51 : I : 42; 67 : I : 21; 110 : 5; 113 : 4; 128 : IV : 24, V : 7; ᶜnt : II : 32
1639 a **ṣᶜd**

yṣʿd 52 : 30 (?)
1640 **ṣʿq**
ṣʿq Gl.
1641 **ṣǵd**
yṣǵd Gl.
1642 **ṣǵr**
ṣǵr 113 : 11
ṣǵrt 77 : 50
ṣǵrth 76 : III : 26
ṣǵrthn 128 : III : 16
1643 **ṣpy**
ṣp Gl.
1644 **ṣpn**
ṣpn 3 : 34, 42; 9 : 4, 7; 51 : VII : 6; 76 : III : 31; ʿnt pl. x : V : 5, 18; cf. *ilṣpn*; *bʿlṣpn*; *ḫlbṣpn*; *mrymṣpn*; *ṣrrtṣpn*; *ṣrrtṣp{ʿ}n*
1645 **ṣpr** Gl.
1646 **ṣq–**
tšṣq– Gl.
1647 **ṣqn** cf. *bn ṣqn*
1648 **ṣqr**
ṣqr 320 : 4
ṣqrn Gl.
ṣql cf. *bṣql*
1650 **ṣr**
ṣr cf. *ṣwr*
ṣrm Gl.
1651 **ṣry**
ṣry 147 : 1; cf. *bn ṣry*
ṣryn cf. *bn ṣryn*
1652 **ṣrk**
yṣrk Gl.
1653 **ṣrptn** cf. *bn ṣrptn*
1654 **ṣrr** I
ṣrry 125 : 5, 19, 104
ṣrrt 125 : 43
ṣrrtṣpn 49 : I : 29, 34, VI : 12; 51 : V : 117; ʿnt : I : 21
ṣrrtṣp{ʿ}n 62 : 16
1655 **ṣrr** II
ṣrt ʿnt : III : 34, IV : 48, 50
ṣrtk 68 : 9
ṣt
ṣth 2 Aq : I : 14, 15
1655 a **ṣtqn** Gl.
1656 **–qbat** Gl.

1657 **qblbl** Gl.
1658 **qbʿt** Gl.
1649 **qbṣ** 128 : III : 4, 15; 144 : 7
1660 **qbr**
aqbrn 1 Aq : 126
aqbrnh 1 Aq : 111, 140
yqbr 1 Aq : 146, 147
qbr 125 : 87; 1 Aq : 150
tqbrnh 62 : 17
1661 **qbt** Gl.
1662 **qdm**
qdm 51 : VII : 40; 75 : I : 8
qdmh 51 : V : 107; ʿnt : IV : 85
qdmym 51 : VII : 34
qdmn 328 : 3; 321 : III : 3; cf. *bn qdmn*
tqdm 128 : IV : 23
1663 **qdqd**
qdqd 68 : 21, 24; 1 Aq : 79; 3 Aq : 22, 33
qdqdh 51 : VII : 4; 67 : VI : 16; 3 Aq : 11
qdqdy 2 Aq : VI : 37
qdqdk 127 : 57; ʿnt pl. vi : V : 32
1664 **qdš**
qdš 46 : 3; 51 : IV : 16, VII : 29, 31; 125 : 7, 108; 2 Aq : I : 27, 45, II : 16; Krt : 197; ʿnt : I : 13, III : 27; cf. *bn qdš*; *ltpnwqdš*; *mdbrqdš*
qdš–amrr ʿnt pl. vi : VI : 11
qdšwamrr 51 : IV : 8, 13
qdšm 63 : 3; 81 : 2; 113 : 73; 114 : 1; 169 : 7
qdšt cf. *bn qdšt*
1665 **qhr** cf. *aqhr*
1666 **qht** cf. *aqht*
1667 **qwl**
ql 76 : III : 33; 1 Aq : 46; Krt : 121, 224; ʿnt : I : 20; cf. also *qll*
qlh 51 : V : 70, VII : 29, 31; ʿnt pl. vi : V : 18
1668 **qwm**
yqm 51 : III : 13; 76 : II : 17
mqmh Krt : 54, 127, 139, 284
qm 76 : II : 25; 137 : 21; ʿnt : I : 4, 18
qmm 137 : 31
1669 **qwr**
qr 75 : II : 61; 125 : 27; 1 Aq : 151, 152
mqr Krt : 217; cf. *bqr*
1670 **qṭ** Gl.

1671 **qṭt**
qṭt 2 : 23, 31 (?)
tqṭṭ 2 : 23
tqṭṭn 2 : 15, 32
1672 **qṭy** cf. *bn qṭy*
1673 **qṭn** 114 : 9; 308 : 9; cf. *bn qṭn*
1674 **qṭr**
qṭr 3 Aq : 26, 37
qṭrh 2 Aq : I : 28
1675 **qṭš** Gl.
1676 **qẓ** cf. *qyẓ*
1677 **qẓb** Gl.
1678 **qyẓ**
qẓ 77 : 2, 17, 24; 121 : I : 5; 1 Aq : 18, 41
1679 **qym** 124 : 5
1680 **ql** cf. *qwl* and *qll*
1682 **qldn** cf. *bn qldn*
1683 **qll**
ašqlk 2 Aq : VI : 44
yql 68 : 23, 25; 76 : II : 18; 129 : 6; 1 Aq : 124, 129
ql 49 : VI : 21, 22; 51 : VIII : 27; 76 : III : 16; 118 : 5; ʿnt : III : 7, pl. vi : VI : 19, pl. ix : III : 3
qlh 49 : VI : 32
qlny 95 : 7
qlt 32 : 3; 49 : V : 12; 51 : III : 15; 89 : 11; 117 : 6
šqlt 127 : 32, 44
tql 49 : I : 9; 51 : IV : 25; 1 Aq : 3, 138, 143; 2 Aq : VI : 50
tqln 127 : 57; 1 Aq : 109, 115
1684 **qm** cf. *qwm*
1685 **qlʿ**
qlʿ 321 : I : 2, 4, 5, 8, 9, 12, 26, 27, 29, 30, 31, II : 3, 5, 6, 7, 9, 10, 14, 15, 16, 17, 18, 19, 22, 23, 24, 25, 26, 28, 38, 41, 42, 43, 46, 47, 48, III : 6, 10, 11, 12, 13, 14, 16, 18, 20, 23, 25, 26, 28, 29, 34, 35, 35, 36, 39, 40, 41, 44, 45, 46, IV : 1, 2, 4, 5, 7, 8, 12, 13, 16, 17
qlʿm 321 : I : 3, II : 45, III : 2, 3, 4, 5, 8, 15, 19, 21, 33
1686 **qlṣ**
yqlṣn 51 : III : 12
qlṣ 3 Aq : rev : 17
qlṣn 51 : VI : 13
qlṣt ʿnt pl. vi : V : 36
1687 **qlql** Gl.
qm cf. *qwm*
1688 **qmḥ** Gl.
1689 **qmṭn** Gl.
1690 **qmy** Gl.
1691 **qmnz**
qmnz 109 : 8; 113 : 15; 159 : 2
qmnzy 312 : 5, 8
1692 **qmṣ**
yqmṣ Krt : 35
qmṣ 51 : VI : 43; 124 : 14
1693 **qny** I
qnm Gl.
1694 **qny** II
qn Gl.
1695 **qnʾ**
iqnu Gl.
1696 **qnḏ** cf. *bn qnḏ*
1697 **qny**
aqny Krt : 57
yqny 1 Aq : 220
qny 2 Aq : VI : 41
qnyn 76 : III : 6
qnyt 51 : I : 23, III : 26, 30, 35, IV : 32, frg. to restore VII : 53-8 : 2
1698 **qnm** Gl.
1699 **qnmlk** cf. *bn qnmlk*
1700 **qnṣ**
tqtnṣn Gl.
1701 **qʿl** Gl.
1702 **qǵ** cf. *yqǵ*
1703 **qpt** Gl.
1704 **qṣm** Gl.
1705 **qṣn** 321 : III : 6; cf. *bn qṣn*
1706 **qṣʿ**
qṣʿt 2 Aq : V : 3, 13, 28, VI : 25; 3 Aq : 41
qṣʿth 76 : II : 7; 1 Aq : 15; 3 Aq : 13
qṣʿtk 2 Aq : VI : 19
1707 **qṣ** Gl.
1708 **qṣr** Gl.
1709 **qqln** cf. *bn qqln*
1710 **qr** I cf. *qwr*
1711 **qr** II
yqr 2 Aq : VI : 14

qr Krt : 120, 223
1712 **qr** III Gl.
1713 **qr**– 24 : 3, 4, 5, 6, 7, 8
1714 **qr'**
iqra 52 : 1; 122 : 2
iqrakm 122 : 10; 123 : 4
iqran 52 : 23
yqra 51 : VII : 47
qrit 109 : 1
1715 **qrb** I
aqrbk 77 : 27
yqrb 67 : IV : 10; 125 : 49; Krt : 37; 2 Aq : I : 17
šqrb 2 : 18; 125 : 44
tqrb 51 : VIII : 16; 125 : 79; 128 : III : 5, 20, 21
1716 **qrb** II
qrb 49 : I : 5; 51 : IV : 22, V : 76, 92, 99, 124, 127, VI : 6, 9, 31 (?), 45, VII : 13, 18, 27; 67 : III : 10, 19, 26; 76 : II : 5; 121 : II : 1, 9; 123 : 20; 132 : 1; 135 : 5; 1 Aq : 2; 2 Aq : I : 26, 44; ʿnt pl. ix : II : 6
qrbm 1 Aq : 67, 74
1717 **qrdm** cf. *aliyqrdm*
1718 **qrw** cf. *bn qrw*
1719 **qrṭy**
qrṭy 312 : 6
qrṭym 312 : 1
1720 **qry** I
aqry ʿnt : IV : 66, 71
aqryk 2 Aq : VI : 43
qryy ʿnt : III : 11, IV : 52
qrym 1 Aq : 191
tqry ʿnt : II : 4
1721 **qry** II
mqrtm 145 : 19
qryt Krt : 81, 172
qrytm ʿnt : II : 7
qrt 9 : 12; 52 : 3; 111 : 1; 113 : 21; 1 Aq : 163, 164, 165; 3 Aq : 8, rev : 30
qrth 51 : VIII : 11; 67 : II : 15; Krt : 117
qrty 329 : 8, 11
qrtm ʿnt : II : 20
1722 **qrn**
qrn 24 : 11; 76 : II : 21, 22; 159 : 8; 3 Aq : 10
qrnh 75 : II : 40
qrnm 75 : I : 30
qrnt 2 Aq : VI : 22
1723 **qrṣ** I
tqrṣn Gl.
1724 **qrṣ** II
yqrṣ Gl.
1725 **qrš** Gl.
1726 **qš**
qšh Gl.
1727 **qšt**
qšt 133 : rev : 6; 306 : 14; 321 : I : 6, 7, 8, 9, 10, 12, 13, 14, 15, 16, 17, 18, 19, 20, 21, 22, 23, 28, 29, 32, 34, 35, 36, 37, 38, 39, 40, 41, 42, 43, 44, 45, 46, 47, II : 2, 4, 5, 6, 7, 8, 9, 10, 11, 15, 16, 17, 18, 19, 22, 23, 24, 25, 26, 27, 28, 31, 32, 33, 36, 38, 41, 42, 43, 44, 45, 46, 47, III : 2, 5, 7, 9, 11, 13, 14, 17, 20, 21, 23, 24, 25, 26, 27, 28, 29, 30, 31, 35, 36, 37. 38, 39, 40, 41, 42, 43, 44, 45, 46, IV : 7, 8, 9, 10, 11, 12, 13, 14, 15, 16, 17; 1 Aq : 4; 2 Aq : V : 2, 12, 27, 35, VI : 13, 24
qšth 1 Aq : 14, 16; ʿnt : II : 16
qšthn 76 : II : 6
qštk 2 Aq : VI : 18
qštm 321 : I : 2, 3, 26, 27, 31, II : 14, III : 3, 4, 6, 8, 10, 12, 15, 16, 18, 19, 22, 33, 34; 2 Aq : VI : 39
1728 **qtn** Gl.
1729 **qtt**
yqṯ Gl.
1730 **ri**– Gl.
1731 **r'd**
ridn Gl.
1732 **r'm** I
rum 76 : III : 22, 37
rumm 49 : VI : 18; 51 : I : 44; 62 : 19; 67 : I : 17; 76 : II : 9; 2 Aq : VI : 21
1733 **r'm** II
rimt Gl.
1734 **r'š**
yraš 55 : 27; 56 : 21, 32
rašm 67 : I : 3; ʿnt : III : 39
rašthm 137 : 29

raštkm 137 : 27
riš 52 : 31, 36; 126 : III : 12; 131 : 8; 1 Aq : 87, 160; 2 Aq : VI : 37; ʿnt : II : 9
rišh 49 : I : 32; 67 : VI : 15; 68 : 38; 127 : 9; 1 Aq : 80
rišhm 52 : 5
rišk 125 : 27; 127 : 56; 137 : 6, 8
rišn 328 : 9
rišt 137 : 24; ʿnt : II : 12
rišthm 137 : 23

1735 **rb**
rb a; b; 18 : 1; 62 : 54, 55; 73 : rev : 4; 118 : 13, 26; 166 : 1; 307 : 8; cf. *rbb* I; *ilrb*
rbm 49 : V : 2; ʿnt : III : 36
rbt 49 : I : 16, 17, 19, 25; 51 : I : 14, 22, II : 28, 31, 33, III : 25, 27, 28, 34, 38, IV : 31, 40, 53, V : 64, 65, frag. to restore VII : 53-8 : 1; 52 : 54; 67 : III : 3; 125 : 36, 38; ʿnt pl. vi : V : 47; cf. *rbb* II
rbtaṯrtym 49 : I : 16, 17, 19, 25; 51 : I : 15, 22, II : 29, III : 25, 27, 29, 34, 38, IV : 4, 31, 40, 53, V : 64; ʿnt : V : 49

1736 **rbb** I
rb 51 : I : 18, IV : 56, VI : 11; 67 : V : 11; ʿnt : I : 25, III : 4, pl. vi : V : 50
rbb 1 Aq : 44; ʿnt : II : 39, IV : 88

1737 **rbb** II
rbbt 51 : I : 29, 44
rbt 48 : 5; 51 : V : 65, 86, 119, VIII : 25; 77 : 20; 128 : IV : 19, V : 25; 2 Aq : V : 10; Krt : 89, 93, 109, 134, 179, 181, 210, 276; ʿnt : I : 17, IV : 82, pl. vi : VI : 17, pl. vi : VI : 5; cf. *rb*
rbtm 51 : I : 31

rbd (?) 172 : 7

1738 **rbʿ** I
arb^{c} 3 : 51; 12 : 3, 14; 19 : 17; 46 : 2; 65 : 3, 6, 11; 71 : 1; 83 : 17; 92 : 4, 5, 10, 12, 14; 93 : 7, 13; 96 : 9; 110 : 3, 4, 6, 7, 11; 112 : 9, 14; 120 : 2; 125 : 85; 145 : 2, 8, 9; 172 : 3; 321 : II : 45
arb^{c}*m* 40 : 2; 71 : 2, 5; 120 : 15
arb^{c}*t* 3 : 4; 308 : 17, 20; 330 : 2
mrb^{c}*t* 1 Aq : 83; Krt : 17
rb^{c} 51 : VI : 26; 124 : 22; 2 Aq : I : 9, II : 34, 45; Krt : 106, 115, 208, 209, 219
rb^{c}*m* 145: 8

1739 **rbʿ** II
ašrb^{c} 2 Aq : V : 3
yšrb^{c} 2 Aq : V : 13

1740 **rbʿ** III
nrb^{c}*n* Gl.

1741 **rbṣ**
rbṣ 6 : 9
trbṣ Krt : 56, 129, 286
trbṣt Krt : 141, 273

1742 **rgll** Gl.

1743 **rgm**
argm 2 Aq : VI : 39
argmk 51 : I : 21; ʿnt : III : 18, IV : 57
argmn ʿnt : IV : 76
yrgm 51 : V : 74; 125 : 20
rgm 3 : 45, 46; 18 : 2; 32 : 6; 49 : III : 24; 51 : VI : 3, VIII : 29; 52 : 52, 59; 54 : 3, 17; 67 : II : 8, III : 21; 68 : 6; 89 : 3, 14; 95 : 2, 17; 117 : 2, 13; 125 : 38; 126 : V : 14, 17, 20; 127 : 28; 128 : V : 13, VI : 7; 130 : 13; 137 : 16, 33, 42; 138 : 3, 12, 17; 171 : 3; 1 Aq : 113, 127, 141, 212; ʿnt : III : 8, 17, 19, 24, pl. vi : VI : 21, pl. ix : III : 4, 15
rgmy 43 : 5; 117 : 16
rgmm 51 : I : 20; 129 : 11; 2 Aq : VI : 39; Krt : 27; ʿnt : IV : 75
rgmt 51 : VII : 23; 68 : 7; 137 : 45
trgm 13 : 5; 100 : 5; 125 : 31

1744 **rwḥ**
rḥ 6 : 34; 3 Aq : 25, 36; ʿnt : II : 2
rḥk 67 : V : 7

1745 **rwẓ**
yrẓ 49 : I : 22
trẓẓh 125 : 49

1746 **rwy** cf. *bn rwy*

1747 **rwm**
yrmmh 133 : rev : 1, 2
mrym 51 : IV : 19, V : 85; 67 : I : 11; ʿnt : IV : 45, 82

mrm 9 : 5 (?)
rm 6 : 12; 128 : III : 13; 133 : rev : 1; 324 : III : 3; Krt : 58
rmm 51 : V : 114; 133 : rev : 8
rmt cf. *rm*
trm 52 : 32; 129 : 10; cf. *trm*
trmm 51 : VI : 17
trmmn 51 : V : 116
trmmt 62 : 43
tšrm 2 Aq : VI : 15

1748 **rzᶜ**
–mrzᶜy (?) 122 : 1
–rzᶜy 122 : 5

1749 **rḥ** I cf. *rwḥ*

1750 **rḥ** II
rḥtm Gl.

1751 **rḥ** III
rḥm 49 : II : 34; 49 : V : 15

1752 **rḥb**
rḥb 125 : 9, 109
rḥbt Gl.

1753 **rḥd** Gl.

1754 **rḥl**
yrtḥl Gl.

1755 **rḥm** I
rḥmt Gl.

1756 **rḥm** II
rḥm 49 : II : 27; 52 : 13
rḥmy 52 : 16, 28; 128 : II : 6

1757 **rḥm** III cf. *rḥ* III

1758 **rḥṣ**
yrḥṣ Krt : 157
yrtḥṣ Krt : 156
rḥṣ 2 Aq : I : 34, II : 7, 23; Krt : 63
trḥṣ 127 : 10; 130 : 8; ᶜnt : II : 32, 34, 38, IV : 86
trḥṣn 129 : 20
trtḥṣ 6 : 18; 37 : 3 (?); 1 Aq : 203; Krt : 62

1759 **rḥq**
mrḥqtm 89 : 10; 95 : 6
rḥq Krt : 132, 279; ᶜnt : IV : 78, 79; ᶜnt pl. ix : III : 19
rḥqm ᶜnt pl. x : IV : 3
šrḥq ᶜnt : IV : 84

rḫt (?) 144 : 6

rḫm
yrḫm 52 : 12

1760 **rḫn**
rḫntt Gl.

1761 **rḫp**
arḫp 3 Aq : 21
trḫp 3 Aq : 32
trḫpn 1 Aq : 32; 3 Aq : 20, 31

1762 **rẓ** cf. *rwẓ*

1763 **rkb**
mrkb 114 : 8
mrkbt 114 : 8; 308 : 6, 8; Krt : 56, 128, 140, 286
mrkbthm 121 : II : 4
rkb 26 : 4; 51 : III : 11, 18, V : 122; 67 : II : 7; 68 : 8, 29; 76 : I : 7, III : 37; 1 Aq : 43; Krt : 74, 166; ᶜnt : II : 40, III : 35, IV : 48, 50
rkby 321 : II : 35

1764 **rks**
rks ᶜnt pl. x : V : 23
trks ᶜnt pl. x : V : 10

1765 **rm**
rmt 51 : frg. for VII : 53-8 : 9; 171 : 12; cf. *rwm*

1766 **rm–t** Gl.

1767 **rmy**
rmy 309 : 22
rmyy cf. *bn rmyy*

rmǵt 172 : 5

1768 **rmṣt** Gl.

1769 **–rsd** Gl.

1770 **rᶜ** 100 : 1

1771 **rᶜy**
rᶜy 122 : 6; 323 : IV : 9
rᶜym 170 : 4

1772 **rᶜm–** Gl.

1773 **rǵb**
rǵb 51 : IV : 33
rǵbt 51 : IV : 33

1774 **rǵt**
mrǵtm Gl.

1775 **rp**
yrp Gl.

1776 **rpʾ**
rpan 91 : 7; 150 : 4; 300 : rev : 14
rpat Krt : 7 (?)
rpi 119 : 24; 128 : III : 14, V : 3 (?); cf. *mtrpi*

rpim 62 : 45; 122 : 9; 123 : 19
rpu 124 : 8; cf. *abrpu*
rpum 121 : II : 6; 122 : 3, 11; 124 : 21, 23

1776 a **rpš** 108 : 5; 110 : 7; cf. *bn rpš*; cf. *ḫlbrpš*

rpty 150 : 12

1776 b **rṣw/y**
yrṣ Gl.

1777 **rq** cf. *rqq*

1778 **rqd**
rqd 113 : 34; 160 : 4
rqdy 64 : 32

1779 **rqḫ** Gl.

1780 **rqm** Gl.

1781 **rqṣ**
yrtqṣ 68 : 15, 23
trtqṣ 68 : 13, 20

1782 **rqq**
rqm Gl.

1783 **rš** Gl.

1784 **ršp**
ršp 1 : 4, 7; 3 : 13, 16; 17 : 5; 128 : II : 6; 143 : 4; 144 : 8; 154 : 11; Krt : 19; cf. *bn ršp*; cf. *abršp*
ršpab 300 : 5; 321 : III : 45
ršpy cf. *bn ršpy*

1785 **rt** cf. *bn rt*

1786 **rtq**
rtq 51 : VII : 33
rtqt 6 : 24

1787 **rṯ** I Gl.

1788 **rṯ** II
rṯt Gl.

1789 **rṯa** Gl.

1790 **š**
š 1 : 2, 5, 6, 7, 10, 11, 19; 3 : 6, 13, 16, 25, 28, 29, 44, 52; 5 : 6, 16; 9 : 3, 6, 13, 14, 17; 18 : 16; 22 : 3 (?); 23 : 4; 47 : 4, 5; 48 : 6 (?), 7; 67 : I : 14
šm 3 : 5, 48; 9 : 2

1791 **ši–** 51 : frg. for VII : 53-8 : 16

1792 **š'b** I
šabn 49 : I : 38
šibt 75 : II : 60; Krt : 113, 216

1793 **š'b** II
šib Gl.

1794 **š'y**
šiy Gl.

1795 **š'l**
yšal 138 : 11, 16
šal Krt : 38
šil 18 : 9
šilt 18 : 10, 12

1796 **š'r** I
šir 49 : II : 37; 76 : I : 18
širh 49 : II :35

1797 **š'r** II
šurt 92 : 1, 2, 4, 5, 6, 7, 9, 10, 11, 13, 14, 15, 16
šurtm 92 : 3, 8, 17

1798 **šbb**
šb 68 : 29, 30; 145 : 5 (?)

1799 **šbḥ** Krt : 290; cf. *špḥ*

1800 **šblt** Gl.

1801 **šbm**
išbmnh ᶜnt : III : 37
ištbm ᶜnt : III : 37
yšbm 51 : VII : 51
šbm ᶜnt : II : 16
štbm 49 : I : 2

1802 **šbny** Gl.; cf. also *bt šbn*

1803 **šb**ᶜ I
*yšb*ᶜ 51 : VII : 51
*šb*ᶜ 145 : 22; 2 Aq : I : 32
*šb*ᶜ*t* 159 : 8; 2 Aq : II : 6, 20; ᶜnt : II : 19
*tšb*ᶜ 62 : 9; ᶜnt : II : 29

1804 **šb**ᶜ II
*yšb*ᶜ 126 : V : 20
*mšb*ᶜ*t* Krt : 20
*šb*ᶜ 3 : 52; 5 : 8, 26; 49 : V : 8; 51 : VI : 32, VII : 10; 52 : 20, 66; 67 : I : 20, V : 20; 75 : II : 45; 124 : 25; 125 : 94; 128 : II : 23, III : 22; 130 : 23; 136 : 3; 1 Aq : 42, 179; 2 Aq : I : 12, 16, II : 39, V : 3; 3 Aq : rev : 25; Krt : 8, 108, 119, 221; ᶜnt : II : 2
*šb*ᶜ*id* 89 : 9
*šb*ᶜ*d* 52 : 12, 14; 89 : 8
*šb*ᶜ*dm* 52 : 15
*šb*ᶜ*m* 51 : VI : 46, VII : 10; 62 : 18, 20, 22, 24, 26, 28; 67 : V : 20; 75 : II : 49; 128 : IV : 6; 136 : 3
*šb*ᶜ*ny* 52 : 64

šbʿt 8 : 2; 49 : VI : 8; 67 : I : 3, V : 8; 75 : II : 49; ʿnt : III : 39, pl. vi : V : 19, 34
1805 **šbʿl** Gl.
1806 **šbt** cf. *šyb*
1807 **šgr** Gl.
1808 **šd** I
šd 49 : II : 20, 34; 52 : 13, 28, 68; 67 : IV : 1 (?), V : 19, VI : 7; 77 : 23; 85 : 1, 2, 3, 4, 5, 6, 7; 124 : 15 (?); 126 : III : 6; 146 : 1, 3, 4, 5, 6, 7, 8, 9, 10, 11, 14, 15, 17, 19, 20, 21; 148 : 3; 300 : 2, 3, 4, 5, 6, 12, 13, 16; Krt : 104, 193
šdh 77 : 22
šdm 49 : II : 17; 49 : IV : 25, 26, 36, 37; 49 : V : 18; 67 : VI : 28; 75 : II : 44; 125 : 34; 129 : 11; 300 : 14; 300 : rev : 13; 1 Aq : 210; Krt : 111, 214; ʿnt : III : 14, IV : 54, 69, 75
1809 **šd** II 51 : V : 86, 118, VIII : 25; 1 Aq : 205; 2 Aq : V : 10; 3 Aq : rev : 21; ʿnt : IV : 82, 89, pl. vi : VI : 17, pl. ix : III : 2
1810 **šdyn** 49 : IV : 42; 306 : 9; 315 : 3; 321 : IV : 11
1811 **šdm**
šdmt 137 : 43
šdmth 52 : 10
1812 **šdʿl** Gl.
1813 **šdp**
mšdpt Gl.
1814 **šḥlmmt** 49 : II : 20; 7 : V : 19; 67 : VI : 7
1815 **šḥlt** Gl.
1816 **šḥq** 108 : 7; 110 : 6; 113 : 59
1817 **šḥr** 52 : 52, 53; 75 : I : 7; cf. *bn ilšḥr*
1818 **šḥt** Gl.
1819 **šḫṭ**
šḫṭ 3 Aq : 24, 35
mšḫṭ 137 : 39
1820 **šḫn**
yšḫn 75 : II : 39
1821 **šḫp**
šḫp 76 : III : 27
šḫph 76 : III : 26
1822 **šḫr** cf. *bn ʿbdšḫr*
1823 **šyb**
šbt 51 : V : 66; ʿnt pl. vi : V : 10, 32, 33
šbth ʿnt pl. vi : V : 10
1824 **šyn** cf. *bn šyn*
1825 **šyr**
ašr 77 : 1, 38, 40
yšr 2 Aq : VI : 31; ʿnt : I : 18, 20
šr 300 : rt. edge : 4
šrm 80 : I : 10; 113 : 66; 300 : rev : 9
1826 **šyt** I
ašt 51 : V : 123, VI : 5; 67 : III : 11, V : 5; 1 Aq : 112, 126; ʿnt : IV : 73
aštk 3 Aq : 17
aštm 51 : VII : 15
aštn 1 Aq : 140
yšt 52 : 36, 38; 68 : 27; 77 : 34; 128 : II : 9; ʿnt : IV : 69
yštk 1 Aq : 167
yštn 51 : IV : 14
št 51 : IV : 5, 10, V : 107; 55 : 8, 10; 56 : 13, 14, 18, 19; 1 Aq : 53; 3 Aq : 14; ʿnt : III : 1 (?), 12, IV : 53, 85, pl. ix : II : 3, 19, pl. ix : III : 8
štk 75 : II : 59, 60, 61
štt 51 : II : 8
tšt 51 : V : 126, VI : 8, 22; 54 : 18; 125 : 34; 1 Aq : 206, 207; 3 Aq : rev : 18
tšth 62 : 15
tštk 1 Aq : 67, 74
tštn 128 : IV : 25, V : 8; 3 Aq : 28
tštnn 62 : 17; 1 Aq : 59
1827 **šyt** II
tšyt Gl.
1828 **škb**
škb 67 : V : 19
yškb 2 Aq : I : 5, 15; Krt : 34
1829 **škm** Gl.
1830 **škn**
aškn 126 : V : 27
yštkn 51 : VII : 44
mšknth 2 Aq : V : 32
mšknthm 128 : III : 19
škn 43 : 3; 125 : 43; 126 : V : 26
šknt 125 : 115
tškn Krt : 104, 192
tšknnnn 26 : 11 (?)
1831 **škr** I
škr Krt : 97, 185

tškr Krt : 98, 186

1832 **škr** II

škrn Gl.

1833 **šl** cf. *bn b*ᶜ*ynšly*; Gl.

1834 **šlw**

ašlw Gl.

1835 **šlḥ** I

ašlḥk 2 Aq : VI : 18; cf. *ašlṭk*

išlḥ 77 : 21; Krt : 236

yšlḥn 129 : 24

tšlḥ 128 : IV : 24

1836 **šlḥ** II

yšlḥ Gl.

1837 **šlḥ** III Gl.

šlṭ

ašlṭk 2 Aq : VI : 28; cf. *ašlḥk*

1838 **šly** cf. *šl*

1839 **šlyṭ** Gl.

1840 **šlm**

yšlm 18 : 4; 21 : 4; 54 : 4; 100 : 2; 101 : 1; 117 : 7

šlm 1 : 8; 17 : 12; 20 : 3; 52 : 7, 26, 52, 53; 89 : 13; 95 : 12, 16; 100 : 3, 4, 6; 117 : 10, 12; ᶜnt : III : 13, IV : 53, 74; cf. *ṣdqšlm*

šlmil 107 : 8

šlmy 111 : 2; 113 : 18; cf. *bn šlmy*

šlmym 84 : 1

šlmm 1 : 4; 3 : 17, 52; 5 : 7; 9 : 7, 15; Krt : 130, 131, 275

šlmn 64 : 37

links šslmt 315 : 3

tšlm 18 : 5

tšlmk 95 : 9; 117 : 8; 138 : 5

tššlmn 109 : 1

1841 **šm** I

šm 68 : 28; 124 : 6, 7; 127 : 56; ᶜnt pl. x : IV : 14, 15

*šmb*ᶜ*l* 150 : 7

šmy 138 : 13

šmyn 152 : 3

šmk 68 : 11, 19; ᶜnt pl. x : IV : 20

šmmlk 322 : V : 9

šmt 52 : 21

šmthm 68 : 11, 18; 75 : I : 29

1842 **šm** II

šmym 1 Aq : 186, 192

šmm 6 : 26, 27; 49 : II : 25, III : 6, 12; 51 : VIII : 23; 52 : 38, 62; 67 : I : 4, II : 2; 77 : 16, 31; 124 : 11; 126 : III : 2; Krt : 76; ᶜnt : I : 13, II : 39, 40, III : 21, 23, IV : 87, pl. vi : V : 26, pl. ix : III : 14

šmmh 52 : 38; Krt : 168

1843 **šmal**

šmal 52 : 64

šmalh 137 : 40

1844 **šmḥ**

–*šmḥy* Gl.

1845 **šmḫ**

yšmḫ 76 : III : 38

nšmḫ 125 : 14, 99

šmḫ 49 : III : 14; 51 : II : 28, V : 82, 97, VI : 35; 67 : II : 20

šmḫt ᶜnt : II : 26

tšmḫ 49 : I : 11; 2 Aq : II : 9; ᶜnt pl. vi : V : 28, 29

1846 **šmym** cf. *šm* II

1847 **šmk** Gl.

1848 **šmlbi** cf. *bn šmlbi*

1849 **šmmlk** cf. *šm mlk*

1850 **šmmn** Gl.

1851 **šmn**

šmn 3 : 21, 44; 12 : 2, 8, 15; 49 : III : 6, 12; 84 : 2; 120 : 3, 5, 16; 123 : 15; 126 : III : 1, 16; 128 : IV : 4, 15; 145 : 3, 5, 9; ᶜnt : II : 31, 39, IV : 87

šmt 1 Aq : 110, 117, 125, 131, 139, 145

1852 **šm**ᶜ

*ištm*ᶜ 127 : 29, 42

*yšm*ᶜ 18 : 17; 51 : IV : 8; 67 : V : 17; cf. *bn yšm*ᶜ

*yšm*ᶜ*k* 49 : VI : 26; 129 : 17

*šm*ᶜ 49 : I : 16, III : 23, VI : 23; 51 : V : 121, VI : 4; 77 : 11; 123 : 13; 126 : IV : 2, 11; 127 : 16, 41; 128 : IV : 3, VI : 1; 171 : 3; 328 : 5; 1 Aq : 50, 90; 2 Aq : V : 16, VI : 16; 3 Aq : 12; 3 Aq : rev : 23; Krt : 229; cf. below

*šm*ᶜ*k* 6 : 22

*šm*ᶜ*t* 54 : 7

*štm*ᶜ cf. *ilštm*ᶜ

*tšm*ᶜ 54 : 17; 62 : 13; 127 : 19; 128 : IV 14; 1 Aq : 54; 2 Aq : V : 21

1853 **šmr(ḫ/z)t** Gl.
1854 **šmrm** 321 : II : 48; cf. *bn šmrm*
šmšr cf. *mšr*
1855 **šmt** cf. *šmn*
1856 **šmtr** Gl.
1857 **šn** I
šn cf. *bn tbšn*
šnt 49 : V : 8, 9, VI : 38; 51 : VI : 43; 52 : 66; 75 : II : 45; 100 : 7; 124 : 13; 128 : III : 22; 1 Aq : 42, 176, 177, 180; 2 Aq : VI : 29
šntk 42 : 7; 127 : 58
1858 **šn** II
šnt Gl.
1859 **šn'**
šna 51 : III : 17
šnu 51 : VII : 36
1860 **šnm** 1 : 3, 6; 2 : 26; 49 : I : 8; 51 : IV : 24; 67 : VI : 2; 107 : 4; 2 Aq : VI : 49; ʿnt pl. ix : III : 24
1861 **šnmtm** Gl.
1862 **šnn** I
yšnn Gl.
šnn II
šnth 1 Aq : 9
1863 **šnst** ʿnt : II : 12
1864 **šnpt** Gl.
1865 **ššk** Gl.
1866 **šʿd–** Gl.
1867 **šʿl**
mštʿltm Gl.
1868 **šʿr**
šʿr 315 : 11; 1 Aq : 51, 55, 199
šʿrm 12 : 1, 7, 13; 315 : 12
šʿrt 108 : 4; 315 : 4, 5, 6, 7, 8, 9, 10, 14; 321 : II : 40
šʿrty 23 : 9; 64 : 25; 311 : 2, 9; 327 : 7
1869 **šp**
špt 52 : 61, 62; 67 : II : 2
špth 68 : 6; 1 Aq : 75, 113, 127, 142
špthm 52 : 49, 50, 55
špty 77 : 46
šptk 124 : 4
1870 **špḥ** 125 : 10, 21, 23, 105, 111; Krt : 24, 144, 152, 298; cf. *šbḥ*
1871 **špḫ**
mšpḫ Gl.
1872 **špk** Gl.
1873 **špl** Gl.
1874 **špm** Gl.
1875 **špq** Gl.
1876 **špš**
špš 1 : 12, 17; 3 : 47, 53; 5 : 11, 14; 8 : 4, 6; 9 : 9; 49 : II : 24, III : 24, IV : 25, 32, 36, 41, 46, VI : 22; 51 : VIII : 21; 52 : 25, 54 ; 62 : 9, 11, 13, 44, 46; 71 : 6, 7, 8; 77 : 3; 93 : 15; 118 : 11, 19, 25; 125 : 37; 128 : V : 18, 19; 129 : 15; 135 : 10; 143 : A : 3; 322 : I : 8; 1 Aq : 209, 211; ʿnt : II : 8, pl. vi : V : 25; cf. *ilšpš; bn špš*
špšyn 80 : I : 20; 151 : 5; 321 : II : 25
špšm Krt : 107, 118, 196, 209, 221
1877 **šqb**
išqb Gl.
1878 **šqd**
tštqdn Gl.
1879 **šqy**
yšqy 2 Aq : I : 11, 14, 23
yšqynh 2 Aq : VI : 31; ʿnt : I : 9
yššq 2 Aq : II : 31, 33, 35, 38
šqy ʿnt pl. x : IV : 9
ššqy 2 Aq : V : 19
tšqy 125 : 76; 1 Aq : 224
tšqyn 1 Aq : 215
tšqynh 1 Aq : 217
tššqy 2 Aq : V : 29
1880 **šql** I
yšql 52 : 10
yštql 1 Aq : 170; 2 Aq : II : 25
tštql 62 : 41; ʿnt : II : 18
1881 **šql** II 51 : VI : 41; 124 : 12
1882 **šr** I cf. *šyr*
1883 **šr** II
šrn Krt : 110
šrnn Krt : 213
1884 **šr** III cf. *mt–w–šr*
1885 **šr** IV Gl. and 145 : 5 (?)
1886 **šrb**(?) Gl.
1887 **šrg**
šrgk 2 Aq : VI : 35
tšrgn 2 Aq : VI : 34
1888 **šrh** Gl.

1889 **šryn** Gl.
1890 **šrk** Gl.
1891 **šrm**
šrm 169 : 11; cf. *bn šrm*
tšrm Gl.
šrs 113 : 1 see *šrš*
1892 **šrʿ** Gl.
1893 **šrp**
šrp 1 : 4; 9 : 7; 49 : V : 14; 107 : 16
tšrpnn 49 : II : 33
1894 **šrr**
mšrr 99 : 19
mšrrm 77 : 36
šrr 68: 33, 35, 37; 127 : 7; 1 Aq : 85
1895 **šrš** I
šrš 2 Aq : I : 20, 21, 26, II : 15
šršk 1 Aq : 159
1896 **šrš** II Gl.
1897 **š[r?]šn** Gl.
1898 **ššmn** Gl.
1900 **ššr** Gl.
1901 **št** I cf. *šyt*
1902 **št** II Gl.
1903 **šty**
ištynh 51 : III : 16
yšt 128 : II : 9; 1 Aq : 219
nšt 52 : 72
šty 51 : V : 110, VI : 55; 52 : 6; 67 : IV : 15; 128 : IV : 27, V : 10, VI : 4
štym 51 : IV : 35, 36
štt 51 : III : 14; 67 : I : 25
tšt 62 : 10, 43
tšty 51 : III : 40; 51 : VI : 58; 128 : VI : 2
tštyn 121 : I : 7; 124 : 22, 24
1904 **štn** cf. *bn štn*
1905 **tant**
tant ʿnt : III : 21
tunt ʿnt pl. ix : III : 14
1907 **tus**– ʿnt pl. x : IV : 11
1908 **tiṣ**
tiṣh 2 Aq : I : 30
tiṣy 2 Aq : II : 18
tiṣk 2 Aq : II : 3
1909 –**turm** Gl.
1910 **tišrm** Gl.
1911 **tbdn** cf. *bn tbdn*
1912 **tbbr** Gl.
1913 **tbd** cf. *bn tbd*
1914 **tbʿ**
ytbʿ 127 : 39
tbʿ 51 : IV : 19; 67 : I : 9; 67 : II : 8, 13; 128 : II : 13; 137 : 13, 19; 1 Aq : 182; 2 Aq : II : 39, V : 31, 32; 3 Aq : rev : 17
tbʿt Krt : 14
ttbʿ 49 : IV : 30; 127 : 2; Krt : 300
tbqrn cf. *bqr*; 143 : B : 1
1915 **tbšn** cf. *bn tbšn*
1916 **tbṯb** Gl.
1917 **tbṯḫ** Gl.
1918 **tg** Gl.
1919 **tgḏn** cf. *bn tgḏn*
1920 **tgh** cf. *ngh*
1921 **tgyn** Gl.
1922 **tgr** 44 : 6; ʿnt pl. x : IV : 12
1923 **tgtn** cf. *bn tgtn*
td
tdh 6 : 31; cf. also *ṯd*; see also under ***ndd***
1924 **thw** Gl.
1925 **thm**
thm 52 : 30
thmt 2 Aq : VI : 12; ʿnt : III : 22, IV : 61
thmtm 49 : I : 6; 51 : IV : 22; 1 Aq : 45; 2 Aq : VI : 48
1926 **twk**
tk 20 : 4; 51 : III : 13, V : 108, 117, VIII : 11; 52 : 65; 67 : II : 15, V : 12; 75 : I : 21, 21, II : 56, 58; 76 : II : 9, 12; 128 : III : 14; 129 : 9; 137 : 20; ʿnt : III : 26, IV : 85, pl. vi : VI : 13, pl. ix : II : 23, pl. ix : III : 22
1927 **twr**(?) cf. *yry*
1928 **twtḥ** cf. *wtḥ*
1929 **tḥm**
tḥm 18 : 3; 21 : 1; 49 : IV : 34; 51 : VIII : 32; 54 : 1; 67 : I : 12, II : 10, 17; 89 : 4; 95 : 3; 100 : 12; 117 : 3; 137 : 17, 33; 138 : 1; Krt : 125, 231, 249, 268, 305; ʿnt : III : 10, IV : 51, pl. vi : VI : 24, pl. ix : II : 17; cf. *iltḥm*
tḥmk 51 : IV : 41, 43; ʿnt : V : 38, 39
1930 **tḥt**

tḥt 51 : frg. for VII : 53-8 : 11; 68 : 7; 133 : rev : 5; 1 Aq : 22, 109, 116, 124, 130, 138, 143; 2 Aq : V : 6, VI : 44; ʿnt : IV : 80, pl. ix : III : 20
tḥth ʿnt : II : 9
1931 **tẓpn** Gl.
1932 **tyt** Gl.
1933 **tk** cf. *twk*
1934 **tkwn** cf. *bn tkwn*
1935 **tknm** 169 : rev : 14
1936 **tkpǵ** Gl.
1937 **tlbr–** Gl.
1938 **tldn–** Gl.
1939 **tlm** Gl.
1940 **tlmu** Gl.
1941 **tlmyn** Gl.
1943 **tlʿm** Gl.
1944 **tlš** Gl.
1945 **tmy**
tmy cf. *bn tmy*
tmyn Gl.
1946 **tmm**
tm 1 : 2; 37 : 2, 4 (?); 123 : 13; cf. *iltm*
tmm 134 : 3
tmt 52 : 67
1947 **tmmrkm** Gl.
1948 **tmn**
tmnh Gl.
1949 **tmr** cf. *bn tmr*
tmrym 169 : rev : 3
1950 **tmrtn** Gl.
1951 **tn–** Gl.
1952 **tny**
tny 154 : 5
mtny ʿnt pl. x : V : 25
1954 **tnm**
tnm– 125 : 88 (?)
tnmy ʿnt pl. x : IV : 9
1956 **tnn** Gl.
1957 **tsk** cf. *nsk*
1958 **tʿmt** Gl.
1959 **tʿrt**
tʿrt 1 Aq : 207
tʿrth 3 Aq : 29
tʿrty 3 Aq : 18
–tʿrtǵt Gl.
tǵzt Gl.
1960 **tǵḥ** cf. *bn tǵh*
1961 **tǵyn** Gl.
1962 **tpḥ** Gl.
1963 **tpnr** Gl.
1964 **tṣr** cf. *ṣwr*; Gl.
1965 **tqy** cf. *bn tqy*
1966 **tr**
tr 125 : 74, 77, 78; cf. *trm*
ytr 62 : 52
1967 **trgn** Gl.
1968 **trḫ**
itrḫ 52 : 64
ytrḫ 77 : 18, 33
mtrḫ 77 : 10
mtrḫt Krt : 13
trḫ 77 : 26, 28; Krt : 14, 100, 189
tryl Gl.
1971 **trm** 125 : 88, 96, 96; cf. (*m*/*t*)*rm* and *tr* above
1972 **trn** Gl.; cf. *bn trn*
1973 **trʿ**
trʿ 75 : II : 43
trʿn 75 : II : 43
1974 **trǵds** Gl.
1975 **trǵzz** Gl.
1976 **trp**
ttrp Gl.
1977 **trqm** Gl.
1978 **trr**
trrm Gl.
1979 **trṯ** Gl.
1980 **tšy** cf. *šyt*
1981 **tšʿ**
tšʿ 63 : 1, 3; 83 : 5, 9, 15; 310 : 13
tšʿm 51 : VII : 12; 71 : 4; 310 : 12
1982 **tšrt** Gl.
1984 **tt** Gl.
1985 **ttn** Gl.; cf. *bn ttn*
1986 **ttpp** Gl.
1987 **tṯb**
tṯb Gl.
artṯb 119 : 4
1988 **tṯmd** Gl.
1989 **tṯn** Gl.
1990 **ṯ'**
ṯat Gl.
1991 **ṯ'g**
ṯ'g Krt : 120

ṯigt Krt : 120; cf. also *ṯiqt*

1992 **ṯ'ṭ**
ṯit Gl.

1993 **ṯiqt** Krt : 223; cf. also *ṯigt*

1994 **ṯ'r** I
ṯar Krt : 15
ṯirk 3 Aq : rev : 25

1995 **ṯ'r** II
yṯir 129 : 16, 21
tṯar ʿnt : II : 37

1997 **ṯb** cf. *ṯwb*

1998 **ṯbṭ** Gl.
ṯbʿm 145 : 7; 150 : 10; 151 : 8

1999 **ṯbǵl** cf. *bn ṯbǵl*

2000 **ṯbr** I
yṯb (for *yṯbr* (?)) 1 Aq : 108
yṯbr 49 : VI : 29; 127 : 54, 55; 129 : 18; 137 : 7; 1 Aq : 4, 108, 114, 123, 128, 129, 137, 142, 149; 3 Aq : 2
tṯbr 125 : 54; 1 Aq : 3, 4; ʿnt : III : 30
ṯbr 137 : 13; 1 Aq : 115, 143

2001 **ṯbr** II 2 : 12, 30

2002 **ṯbrn** cf. *bn ṯbrn*

2003 **ṯbrnq**
ṯbrnq 49 : II : 23
ṯbrnqnh 51 : VIII : 19

2004 **ṯbš** (?)
yṯbš 124 : 6; cf. *ʿbš*

2005 **ṯbtnq** cf. *bn ṯbtnq*

2006 **ṯgd** cf. *bn ṯgd*

2007 **ṯd**
ṯd 51 : VI : 56; 128 : II : 27; ʿnt : I : 6; cf. also *td*; *ḏd*; and *zd*
ṯdh 6 : 31 (?)

2008 **ṯdy** Gl.

2009 **ṯdn** Gl.

2010 **ṯdpṯn** Gl.

2011 **ṯdṯ**
yṯdṯ 126 : V : 19
mṯdṯt Krt : 19
ṯdṯ 3 : 45; 51 : VI : 29; 124 : 23; 2 Aq : I : 12, II : 37; Krt : 84, 107, 116, 175, 220
ṯṯ 12 : 1, 5, 7, 11, 13; 23 : 5; 51 : VII : 9; 65 : 9; 92 : 7, 11, 13; 93 : 8, 12; 96 : 12; 110 : 1, 8, 12; 120 : 4; 143 : A : 1; 144 : 1, 5; 171 : 2; 310 : 10; note *ṯt* in 145 : 19
ṯṯm 51 : VII : 9; 310 : 3, 6; 329 : 19

2012 **ṯdṯb** cf. *bn ṯdṯb*

2013 **ṯwb**
yṯb 49 : VI : 12; 51 : VII : 42; 67 : I : 9; II : 13; 121 : II : 8; 127 : 22, 23, 25; 137 : 19; 1 Aq : 170, 181; 2 Aq : II : 43; 3 Aq : 7; Krt : 301; ʿnt pl. vi : IV : 7, 8; cf. *yṯb*; cf. *ṯbr*
yṯbn 52 : 56
yṯṯb 3 : 45
tṯb 51 : VI : 2, 15; 127 : 10; ʿnt : IV : 65
tṯbn 51 : VII : 24
tṯṯb 89 : 14
ṯb 2 : 27; 51 : V : 104, VII : 8; 126 : V : 24; 2 Aq : VI : 42; 3 Aq : 16; -*ṯb* in 149 : 4; cf. *ṯbʿm*; *annṯb*
ṯbil cf. *bn ṯbil*
ṯṯb 95 : 17; 117 : 13; 138 : 18; Krt : 136, 305

2014 **ṯwy**
tṯwy Gl.

2015 **ṯwr**
ṯr 2 : 18; 49 : IV : 34, VI : 26; 51 : I : 4, II : 10, III : 31, IV : 1, 39, 47; 75 : II : 55; 126 : IV : 3; 128 : II : 2, IV : 8, 19; 129 : 16, 17, 19, 21; 137 : 16, 33, 36; 315 : 11; 2 Aq : I : 24, VI : 23; Krt : 41, 59, 76, 169; ʿnt pl. vi : IV : 7, pl. vi : V : 18, 21, 43, pl. ix : III : 26, pl. x : IV : 12, pl. x : V : 22; cf. *agpṯr*
ṯrh 128 : IV : 17
ṯry 128 : IV : 6
ṯrm 51 : VI : 41; 75 : I : 31; 124 : 12; 128 : V : 13, VI : 7; ʿnt pl. x : IV : 31

2017 **ṯḥk** Gl.

2018 **ṯy** Gl.

2019 **ṯyn**
yṯn 55 : 8
tṯny 67 : IV : 19

2020 **ṯynḏr**– Gl.

2021 **ṯk** cf. *bn ṯk*

2022 **ṯkḥ**
yṯkḥ 77 : 4; 132 : 1
tṯkḥ 67 : I : 4, 30; 132 : 2

2023 **ṯkl** Gl.
2024 **ṯkm**
ṯkm 124 : 5; 126 : IV : 14; Krt : 64, 158
ṯkmm Krt : 75, 167
ṯkmt 1 Aq : 50, 55, 190, 199
2025 **ṯkmn** 1 : 3, 6; 2 : 26, 35; 3 : 31; 107 : 4
2026 **ṯkp**
nṯkp Gl.
2027 **ṯkr**
tṯkrn– Gl.
2028 **ṯkt** Gl.
2029 **ṯlḥn**
ṯlḥn 11 : passim; 51 : I : 39; 124 : 16
ṯlḥny 51 : III : 15; 64 : 17; 109 : 5; 113 : 11; 329 : 17
ṯlḥnm ʿnt : II : 30
ṯlḥnt 51 : IV : 36; ʿnt : II : 21, 36, 37
2030 **ṯlḫ**
ṯlḫh Gl.
2031 **ṯlṭ** cf. *bn ṯlṭ*
2032 **ṯlln** cf. *bn ṯlln*
2033 **ṯlm**
ṯlmm– Gl.
2034 **ṯlrb**
ṯlrby Gl.
ṯlrbh Gl.
2035 **ṯlṯḫ** Gl.
2036 **ṯlṯ** I
mṯlṯt Krt : 16
ṯlṯ 5 : 6; 22 : 8; 37 : 6; 51 : III : 17, VI : 26; 65 : 4; 80 : II : 8; 84 : 2, 5, 10; 90 : 1; 92 : 6, 16; 93 : 15; 96 : 4, 5; 98 : 10; 99 : 11; 112 : 2, 4, 11, 13; 119 : 16; 124 : 22; 125 : 84; 145 : 3, 14, 16, 17; 157 : 1; 159 : 1; 169 : rev : 1; 172 : 1, 9, 10; 305 : 4; 317 : 1; 318 : 9; 321 : III : 3, 5, 21; 329 : 18; 2 Aq : I : 9, II : 34, 45; Krt : 55, 89, 95, 106, 115, 128, 140, 179, 183, 196, 208, 219, 285; ʿnt : IV : 80
ṯlṯid 1 Aq : 79; 3 Aq : 23, 34
ṯlṯh 128 : II : 7
ṯlṯkm 126 : IV : 16
ṯlṯm 1 : 20; 3 : 19; 12 : 5; 92 : 9; 93 : 6; 96 : 13; 98 : 9; 99 : 6; 120 : 8; 122 : 7; 134 : 7; 145 : 22
ṯlṯt 3 : 3; 5 : 5
ṯlṯth 126 : V : 9; Krt : 206
2037 **ṯlṯ** II
yṯlṯ 67 : VI : 20, 21
tṯlṯ 62 : 5
2038 **ṯm**
ṯm 52 : 66; 68 : 4; 124 : 4, 6, 8, 9; 152 : 2 (?); Krt : 199
ṯmny 95 : 14; 117 : 11
ṯmt 54 : 18
2039 **ṯmg** Gl.
2040 **ṯmyr** cf. *bn ṯmyr*
2041 **ṯmk** Gl.
2042 **ṯmm** Gl.
2043 **ṯmny**
tṯmnm 128 : II : 24
ṯmn 25 : 1; 52 : 19, 67; 65 : 5; 67 : V : 9, 21; 75 : II : 46; 90 : 5; 92 : 1, 2; 96 : 10; 99 : 9; 110 : 5, 10; 112 : 3; 121 : II : 1; 128 : II : 24; 306 : 14; 1 Aq : 5, 43
ṯmnym 25 : 5; 51 : VII : 11; 67 : V : 21; 71 : 6; 75 : II : 50; 99 : 10; 128 : IV : 7; 145 : 1; 172 : 3
ṯmnt 8 : 3; 67 : IV : 9; 75 : II : 50; 157 : 2; Krt : 9; ʿnt pl. vi : V : 34
tṯmnt 125 : 29, 39
2044 **ṯmq** 124 : 8; cf. *bn ṯmq*
2045 **ṯmr**
ṯmry 111 : 4; 113 : 20; 313 : 8, 10
ṯmrn cf. *bn ṯmrn*
tṯmr cf. *bn ilṯtmr*
2046 **ṯn** Gl.
2047 **ṯny**
aṯnyk ʿnt : III : 19
yṯny 51 : VII : 30
mṯn 51 : I : 20; ʿnt : IV : 75
nṯnyk ʿnt pl. ix : III : 13
ṯn 3 : 5, 22, 43, 45, 48; 5 : 14; 6 : 3; 9 : 2; 19 : 11; 51 : II : 6, III : 17, VI : 3, 24; 92 : 3, 8, 17; 93 : 14; 98 : 1, 2, 4; 109 : 3; 110 : 2, 9; 112 : 6, 7, 12; 118 : 19; 119 : 5, 8, 23; 121 : II : 5; 124 : 21; 127 : 22; 128 : III : 29; 144 : 3; 145 : 20; 158 : 1, 2, 3; 300 : rev : 11; 305 : 13; 321 : I : 2, 3, III : 2, 4, 5, 8, 15, 33; 329 : 6, 22; 1 Aq : 11; 2 Aq : II : 32; Krt : 27, 94, 101, 106, 114, 182

190, 195, 207, 218; ʿnt : IV : 79, pl. ix : III : 20; cf. *agpṯn*; *kmrṯn*

ṯnh Krt : 205

ṯny 51 : VIII : 31; 67 : II : 9; 127 : 28; 137 : 16; ʿnt : III : 9; ʿnt : VI : 22

ṯnm 172 : 7; 1 Aq : 224; 3 Aq : 22, 33

ṯnnth 126 : V : 8

ṯnt 68 : 8

ṯt 5 : 3; 119 : 7, 11, 18, 19, 20, 22; 134 : 9; 321 : I : 2, 3, 26, 27, 29, 31, II : 14, III : 3, 4, 6, 8, 10, 12, 15, 16, 18, 19, 22, 33, 34, IV : 16

ṯtm 125 : 114

2049 **ṯnn**

mṯnn 13 : 6

ṯnn Krt : 91

ṯnnm 52 : 7, 26; 80 : II : 11; 113 : 70; 169 : 4; 303 : 1

2050 **ṯnʿy** Gl.

2051 **ṯnġly** Gl.

2052 **ṯnqym** Gl.

2053 **ṯʿ**

ṯʿ 125 : 24; 127 : 15, 42, 54; 128 : I : 8; 128 : II : 8, 15; 128 : V : 22; Krt : 200; cf. *bn ṯʿ*; *ṯʿy* below

ṯʿy 51 : frg. for VII : 53-8 : 1; 62 : 56; 127 : 59; 51 : VIII : edge; cf. *bn ṯʿy*

2054 **ṯʿy**

ṯʿ 1 : 1; 2 : 15, 16, 24, 32, 33; 9 : 1; cf. *ṯʿ* above

nṯʿy 2 : 16, 24

ṯʿm 1 : 1

2055 **ṯʿl**

ṯʿl cf. *bn ṯʿl*

ṯʿln cf. *bn ṯʿln*

2056 **ṯʿr**

yṯʿr 77 : 35; ʿnt : I : 4

tṯʿr ʿnt : II : 20, 36, 37

ṯʿr ʿnt : II : 21

2057 **ṯġḏy** cf. *bn ṯġḏy*

2058 **ṯġr**

ṯġr 125 : 52, 89; 171 : 11; 300 : rev : 8; 1 Aq : 22; 2 Aq : V : 6; see below

ṯġrh 143 : A : 3

ṯġrm 169 : 5; 300 : rev : 7

ṯġrt ʿnt : II : 3

2059 **ṯpʾ** (?)

mṯpit 300 : rev : 8

2060 **ṯpd**

yṯpd 49 : III : 15; 51 : IV : 29; 2 Aq : II : 11

mṯpdm ʿnt : IV : 79; ʿnt pl. ix : III : 20

ṯpdn cf. *bn ṯpdn*

2061 **ṯpṭ**

yṯpṭ 321 : II : 4; 2 Aq : V : 8

mṯpṭ 321 : I : 2

mṯpṭk 49 : VI : 29; 129 : 18

tṯpṭ 127 : 34, 46

ṯpṭ 68 : 15, 16, 22, 25, 27, 30; 127 : 34, 47; 129 : 7, 21, 23; 137 : 7, 22, 26, 28, 30, 34, 41, 44; 2 Aq : V : 8

ṯpṭbʿl 119 : 13; 300 : rev : 2, 24; 302 : 2; 319 : 2; cf. *br ṯpṭbʿl*

ṯpṭn 51 : IV : 44; ʿnt : V : 40

2062 **ṯpllm** Gl.

2063 **ṯsq–** Gl.

2064 **ṯṣr** Gl

2065 **ṯqbn** Gl.

2066 **ṯqdy** cf. *bn ṯqdy*

2067 **ṯql**

ṯql 5 : 10, 12, 13; 111 : 2, 3, 4, 6, 7; 118 : 20; 159 : 2, 3

ṯqlm 111 : 1; 145 : 8, 10; 159 : 5; 308 : 5, 6, 7, 8, 9, 10, 11, 12, 13, 14, 15, 16, 18, 19, 21, 22; 330 : 3, 4, 5; 1 Aq : 83; Krt : 29

2068 **ṯqrn** cf. *bn ṯqrn*

2069 **ṯqt**

yṯtqt Gl.

2070 **ṯr** cf. *ṯwr*

2071 **ṯrḏn** Gl.

2072 **ṯryl** 138 : 8, 12, 17

2073 **ṯryn–** 145 : 5; 319 : 5

2074 **ṯrk** cf. *bn ṯrk*

2075 **ṯrm**

iṯrm 127 : 18

yṯrm 127 : 21

ṯrm 127 : 12; 137 : 21; 3 Aq : 14, 19, 30

2076 **ṯrmg** Gl.

2077 **ṯrml** Gl.

2078 **ṯrmn**

ṯrmn 1 : 15; 2 : 19; 19 : 18; 62 : 57; 107 : 4

ṯrmnm 1 : 12
2079 **ṯrn** 14 : 7; 145 : 12; 331 : 5
2080 **ṯrr**
mṯrry 126 : IV : 16
ṯrry 312 : 9
ṯrrt 128 : IV : 9, 20; Krt : 109, 134, 211, 277
2082 **ṯšm** Gl.
2083 **ṯt** cf. *ṯny*
2084 **ṯty** 329 : 4; cf. *bn ṯty*
2085 **ṯta?yy** cf. *bn ṯta?yy*
2086 **ṯtʿ**
ṯtʿ 67 : II : 7
ṯtʿy 49 : VI : 30
2087 **ṯtpl** Gl.
2088 **ṯṯ** cf. *ṯdṯ*
2089 **ṯṯy** Gl.

ANALECTA ORIENTALIA

(In-4°)

1. – N. **Schneider**: Die Drehem- und Djoha-Urkunden der Strassburger Universitäts- und Landesbibliothek. 92 S., 112 Taf. (1931) L. 2 700; $ 4.50

2. – A. **Deimel**: Šumerische Tempelwirtschaft zur Zeit Urukaginas und seiner Vorgänger. 112 S. (1931) L. 2 700; $ 4.50

3. – J. **Markwart**: A Catalogue of the Provincial Capital of Ērānshahr. Edited by G. **Messina**. 120 p. (1931) L. 2 700; $ 4.50

4. – M. **Witzel**: Texte zum Studium sumerischer Tempel und Kultstätten. 98 S. (1932) L. 2 700; $ 4.50

5. – E. **Suys**: Étude sur la Conte du fellah plaideur. xxviii-218-32* p. (1932) L. 3.900; $ 6.50

6. – Keilschriftliche Miscellanea. 72 S., 8 Taf. (1933) L. 2 100; $ 3.50

7. – N. **Schneider**: Die Drehem- und Djoha-Texte im Kloster Montserrat (Barcelona). 88 S., 110 Taf. (1932) L. 2 700; $ 4.50

8. – A. **Pohl**: Neubabylonische Rechtsurkunden aus den Berliner Staatlichen Museen. I. 48 S., 85 Taf. (1933) L. 2 100; $ 3.50

9. – — II. 34 S., 59 Taf. (1934) L. 2 100: $ 3.50

10. – M. **Witzel**: Tammuz-Liturgien und Verwandtes. xxi-472 S. (1935) L. 6 300; $ 10.50

11. – E. **Suys**: La Sagesse d'Ani. xxii-128 p. (1935) L. 2 100; $ 3.50

12. – Miscellanea Orientalia dedicata A. Deimel annos LXX complenti. 350 p. (1935) L. 5 100; $ 8.50

13. – N. **Schneider**: Die Zeitbestimmungen der Wirtschaftsurkunden von Ur III. 120 S. (1936) L. 2 700; $ 4.50

14. – F. **Rosenthal**, G. **von Grünebaum**, W. J. **Fischel**: Studia Arabica. I. viii-82 S. (1937) L. 2 700; $ 4.50

15. – M. **Witzel**: Auswahl sumerischer Dichtungen. I. viii-177 S. (1938) L. 2 700; $ 4.50

16. – U. **Monneret de Villard**: Aksum. x-138 p., 3 tav. (1938) L. 2 700; $ 4.50

17. – A. M. **Blackman**, E. **Otto**, J. **Vandier**, A. **de Buck**: Studia Aegyptiaca. I. viii-57 S. (1938) L. 2 700; $ 4.50

18. – E. Douglas **Van Buren**: The Fauna of Ancient Mesopotamia as represented in Art. xii-116 p., 23 pl. (1939) L. 3 900; $ 6.50

19. – N. **Schneider**: Die Götternamen von Ur III. xvi-120 S. (1939) L. 3 300; $ 5.50

20. – C. H. **Gordon**: Ugaritic Grammar. viii-130 p. (1940) (out of print; épuisé; esaurito; vergriffen) L. 3 600; $ 6.—

21. – E. Douglas **Van Buren**: The Cylinder Seals of the Pontifical Biblical Institute. xii-51 p., 12 pl. (1940) L. 2 700; $ 4.50

22. – R. **Köbert**: Bayan Muškil Al-Aḥādīṯ des Ibn Fūrak. xxvi-44-44* S. (1941) L. 3 300; $ 5.50

23. – E. Douglas **Van Buren**: Symbols of the Gods in Mesopotamian Art. xvi-188 p., 2 pl. (1945) (out of print; épuisé, esaurito; vergriffen) L. 6 000; $ 10.—

24. – F. **Rosenthal**: The Technique and Approach of Muslim Scholarship. xi-74 p. (1947), L. 4 200; $ 7.—

25. – C. H. **Gordon**: Ugaritic Handbook. vii-283 p. (1947) (out of print; épuisé; esaurito; vergriffen) L. 6 600; $ 11.—

26. – R. T. **O'Callaghan**: Aram Naharaim. cvi-164 p., 38 pl., 3 maps (1948) (out of print: épuisé; esaurito; vergriffen) L. 7 500; $ 12.50

27. – W. **von Soden**: Das akkadische Syllabar. xii-110 S. (1948) L. 4 500; $ 7.50

28. – A. **Falkenstein**: Grammatik der Sprache Gudeas von Lagaš. I: Schrift- und Formenlehre. xv-224 S. (1949) L. 7 800; $ 13.—

29. – — Grammatik der Sprache Gudeas von Lagaš. II: Syntax. xvi-234 S. (1950) L. 8 400; $ 14.—

30. – — Die Inschriften Gudeas von Lagaš (umschrieben, übersetzt und erklärt) (in preparation; en préparation; in preparazione; in Vorbereitung)

31. – H. **Stock**: Studia Aegyptiaca. II: Die erste Zwischenzeit Ägyptens. xx-103 S., 21 Taf., 5 geogr. Karten (1950) L. 7 800; $ 13.—

32. – J. **Friedrich**: Phönizisch-punische Grammatik xxii-181 S., Schrifttaf. I-II (1950) L. 6 900; $ 11.50

33. — W. **von Soden**: Grundriss der akkadischen Grammatik. xxvii-274-51* S. (1952) L. 6 600; $ 11.—

34. – E. **Edel**: Altägyptische Grammatik. I. xliv-397-15* S. (1955) L. 12 000; $ 20.—

35. – C. H. **Gordon**: Ugaritic Manual. xvi-361 p. (1955) L. 9 900; $ 16.50